Iwan Nieumywakin

Woda utleniona

NA STRAŻY ZDROWIA

hartigrama
WYDAWNICTWO
Warszawa 2008

Tytuł oryginału:

ПЕРЕКИСЬ ВОДОРОДА. На страже здоровья

Tłumaczenie:
Marcin Pracki

Projekt okładki:
Rafał Winiarek

Redakcja:
Zespół

Korekta polonistyczna:
Jolanta Ogonowska

Niniejsza książka nie rości sobie prawa do bycia podręcznikiem medycznym. Pozycja zawiera informacje o pionierskich metodach medycznych, które nie są aprobowane przez ogół środowiska lekarskiego. Dlatego wszelkiego rodzaju zalecenia w niej zawarte powinno się stosować po uprzedniej konsultacji z lekarzem medycyny. Autor stanowczo zabrania samodzielnego wykonywania niektórych zabiegów opisanych w książce. W szczególności chodzi o wprowadzanie dożylne roztworu wody utlenionej, które może być wykonywane wyłącznie przez wykwalifikowany personel medyczny, ponieważ w przypadku nieumiejętnego wykonania grozi wystąpieniem embolii (zaczopowania naczyń spowodowanego pęcherzykami gazu).

Wydawnictwo Hartigrama nie ponosi żadnej odpowiedzialności za jakiekolwiek szkody, które mogłyby wyniknąć z zastosowania metod opisanych w książce.

Polskie wydanie opracowano
na podstawie poprawionego wydania rosyjskiego.

Nakład pierwszego wydania w Polsce – 6 000 egz.

Łamanie i druk:

Wydawnictwo Hartigrama
ul. Siennicka 19A, 04-394 Warszawa

ISBN 978-83-925236-1-1

OD AUTORA

OSTATNIMI laty zacząłem publikować (szczególnie w gazecie „ZSŻ" - „Zdrowy Styl Życia") swoje prace poświęcone nadtlenkowi wodoru (H_2O_2), które zostały napisane ponad 30 lat temu i pozostały niezrealizowane. Być może wiązało się to z tym, że metody zastosowania nadtlenku wodoru i inne ówczesne opracowania były dla mnie drugorzędne w stosunku do wywiązywania się z zadań mi wówczas powierzonych, dotyczących „Szpitala Kosmicznego". Dopiero kilka lat temu zrozumiałem ich ważność w wyjaśnianiu kwestii zdrowotnych u ludzi.

Masowe zainteresowanie wodą utlenioną pojawiło się w Rosji po przetłumaczeniu książki W. Douglasa „Uzdrawiające właściwości nadtlenku wodoru" (1998 r.), w której dość przekonująco mówi się o korzyściach wynikających z zastosowania H_2O_2 nie tylko jako antyseptyka stosowanego zewnętrznie, ale i środka służącego leczeniu praktycznie każdej choroby, w tym również za pomocą wprowadzania dożylnego.

Wydawałoby się, że nie można już nic dodać na temat wody utlenionej, której lecznicze właściwości są już w jakimś stopniu wyjaśnione, do tego przez niejednego autora. Przykładem może być książka W. P. Kazmina „Woda utleniona w twojej chorobie" (Rostów nad Donem, 2003). Wydawano również inne pozycje.

Niestety, ludzie są w większości leniwi i zwykle liczą na cudotwórcze specyfiki, które zbawią ich od chorób bez żadnego wysiłku z ich strony. W życiu jednak tak nie jest. Nie bez powodu porzekadło głosi: „Bez pracy nie ma kołaczy". Rzecz jasna woda utleniona faktycznie wykazuje uniwersalne działanie, jednak ważne jest również to, w jakich warunkach i w jakim stanie organizmu ją zastosujecie. To po pierwsze.

Po drugie: w już wydanych książkach autorzy zazwyczaj nie wyjaśniają, dlaczego H_2O_2 działa tak wszechstronnie i czym różni się od, dajmy na to, tlenu cząsteczkowego, który wdychamy. Poza tym uważają oni, że H_2O_2 rozpada się na wodę i na, rzekomo, ten sam tlen cząsteczkowy. I chociaż dociekliwi naukowcy naszego kraju od dość dawna poważnie zajmują się zagadnieniem wpływu wody utlenionej na przebieg leczenia różnych chorób (gangreny, sączących się i ropnych ran w chorobie popromiennej – A.W. Mielnikow i współautorzy, 1945; A. A. Gurewicz i współautorzy, 1966; A.A. Opokin, 1981; chorób nowotworowych – G.B. Bondarew i współautorzy, 1986; N.A. Makarin, 1990) miażdżycy naczyń krwionośnych [arteriosklerozy] kończyn dolnych – G.B. Arsieniewa, 1987; D.A. Arlimow, 1990), badania te nie uzyskały szerokiego rozgłosu.

Przyczyną tego stanu rzeczy jest zajadły sprzeciw ogromnego przemysłu wytwarzającego drogie i coraz silniej działające syntetyczne lekarstwa jako jednej z głównych gałęzi biznesu, który przynosi wielkie dochody, żerując na nieszczęściu ludzkim, oraz opór przedstawicieli tego przemysłu wobec podważania ich „autorytetu".

Prawdą jest, że w dwóch pracach (D. Farr, 1991; W. P. Sybnikow, 1990) znalazłem mimo wszystko wzmiankę o tym, że w trakcie rozkładu wody utlenionej wydziela się tlen atomowy.

Niedawno zadzwoniłem do przyjaciela, jednego z wiodących fizjopatologów procesu oddychania, profesora E.A. Kowalienko. Zapytałem go:

– Żenia, co wiesz o wodzie utlenionej?

– Jak to? – odpowiada. – To dobry antyseptyk, przeznaczony do zewnętrznego zastosowania.

– Ależ nie – mówię. – Pytam o jej zastosowanie wewnętrzne, a nawet o iniekcję dożylną.

– Czyś ty Iwan zwariował? Wciąż coś wymyślasz!

– Na razie z mózgiem wszystko u mnie w porządku. Jeśli zaś ktoś zamierza zwariować, to będzie go można leczyć właśnie za pomocą wody utlenionej...

I to ma być profesjonalista w swojej dziedzinie, który nieraz podnosił nowatorskie idee! Cóż więc powiedzieć o pozostałych lekarzach?

Ta rozmowa zmusiła mnie do napisania o tej stronie wody utlenionej, o której, jak się okazuje, nie wiedzą nawet specjaliści o niej piszący.

Potwierdzeniem tego niech będzie fakt, że uczeni z Instytutu Neurochirurgii im. N.N. Burdenko, po wieloletnich badaniach stworzyli zawierający wodę utlenioną, aerozolowy preparat „Parkon", który wykorzystuje się do leczenia choroby Parkinsona. Niestety, jest on bardzo drogi.

Chcę zwrócić Waszą uwagę na jeszcze kilka kwestii. Po pierwsze: w niniejszym nowym wydaniu przytaczam znacznie głębsze wyjaśnienie znaczenia procesów fizjologicznych zachodzących w organizmie, i dotyczących podstawowych źródeł tlenu cząsteczkowego, wody utlenionej i ozonu.

Po drugie: chcę zatrzymać się na następującej sprawie. Po praktycznie jednoczesnym wydaniu książki W. Douglasa „Uzdrawiające właściwości nadtlenku wodoru" i mojej książki „Woda utleniona: mity i realia" (pojawienie się której, nawiasem mówiąc, poprzedziły moje publikacje na ten temat na przestrzeni niemal 3 lat na łamach czasopisma „Zdrowy Styl Życia"), w ostatnich dwóch latach pojawiło się wiele książek o wodzie utlenionej [nadtlenku wodoru]. Jakoś tak wszyscy nagle zmądrzeli, chociaż mieli na celu raczej wzbogacenie się, przy jednoczesnym braku pojęcia, o czym w ogóle piszą.

Zapoznałem się z dziesiątkami takich książek. W niektórych prawie słowo w słowo powtarza się materiał z mojej książki, ze wskazaniem na mnie jako autora, a w innych czyni się to nie wymieniając mojego nazwiska. Rzecz jednak nie w moich ambicjach, lecz w tym, że większość tych książek napisana jest bez znajomości materii, o której traktuje. Mowa jest w nich po prostu o wodzie utlenionej sprzedawanej w aptekach, o zastosowaniu jej absolutnie bez wiedzy o tym, co dzieje się w organizmie, ani też o pokładach drzemiących w nim rezerw.

Za najbardziej znaczące wydawnictwo poświęcone nadtlenkowi wodoru uważam książkę M. Burowa „Wszystko o nadtlenku wodoru" (Rostów nad Donem, 2004) i niektórymi zdaniami w niej zawartymi się posłużę.

Zaś czytelnikom książki „Nadtlenek wodoru w Waszych chorobach", którą wydano nakładem aż 30 000 egzemplarzy, mówię: Nie daj Bóg stosować się do wielu jej zaleceń! A wobec autorki tej książki L. Ż. Załpanowej zastosowałbym słowa, wypowiedziane nie pamiętam dokładnie przez kogo, a które brzmią: „Jeśli możesz nie pisać, to nie pisz!". I tak dość już szkody przyniosły zdrowiu łatwowiernego czytelnika tego rodzaju pozycje frywolnie traktujące temat! Do tego takie książki podważają autorytet faktycznie właściwych i pożytecznych metod przywracania zdrowia, powodując w umysłach ludzi takie zamieszanie, że ci nikomu już nie wierzą.

Przytoczę list na ten temat od jednej z pacjentek Centrum Leczniczo-Profilaktycznego, na którego czele stoję:

Wielkie dzięki za to, że Pan w ogóle istnieje. Dziś rano (29.09.2004 r.) obejrzałam audycję „Dzień Dobry" [odpowiednik polskiego programu „Kawa czy herbata"], gdzie krytykowano pracę Pańskiego Centrum i to, że zaleca Pan leczenie wielu chorób za pomocą nadtlenku wodoru. W audycji przytoczono moje nazwisko i powiedziano, że rzekomo w wyniku Pańskiego leczenia stan mojego zdrowia uległ pogorszeniu. Nic podobnego nie mówiłam reporterom. Jak można wszystko tak przeinaczać i obrzucać błotem to, co Pan robi.

A ta cała E. Małyszewa [lekarka prowadząca popularną audycję prozdrowotną, gwiazda telewizji] mogłaby chociaż zainteresować się, co naprawdę robi się tu, w Centrum. Jak może komentować to, czego nawet nie widziała ani nie spróbowała, i do tego czynić to pod Pana nieobecność. Tymczasem ona broniła honoru medycyny, która już niczego nie umie zdziałać. Tak mnie zdenerwował ten program, że już chciałam napisać skargę do sądu na audycję i na Małyszewą, ale Iwan Pawłowicz powiedział: „Pani stan w wyniku naszego leczenia poprawił się, i to dobrze. Nie ma sensu psuć sobie nerwów bezsensownymi sprawami. Niestety, mieszkamy w takim kraju, w którym rację ma nie ten, kto ją ma, a ten, kto ma więcej praw".

Wielu błędnie sądzi, że w ciągu 7–10 zabiegów można się w pełni wyleczyć i zapomina, że w trakcie całego życia nie robimy niczego, by być zdrowymi. Cuda, których dokonują lekarze w tym Centrum to długa praca własna, której tu uczą, czego nie robi się w żadnym zakładzie oficjalnej medycyny, a co powinno stać się stylem życia. Przecież człowiek jest słaby i po jakimś czasie narusza dane mu zalecenia, a potem krzyczy: „Nieumywakin mi nie pomógł!". A on przecież wszystkich uprzedza: „Chcesz być zdrowy? Zatem działaj".

Przeszłam wszystkie zabiegi, dzięki którym dowiedziałam się, że jest dla mnie jeszcze nadzieja. A jak tu wykonują hydrokolonoterapię, po której aż chce się latać! Metoda oczyszczenia wątroby w ogóle nie ma sobie równych. Ileż to razy oczyszczałam wątrobę różnymi metodami. Ale takiego efektu jak tutaj nie mogłam osiągnąć. Nigdy nie myślałam, że wyjdzie ze mnie tyle kamieni, chociaż USG nie wykazało ani razu, że mam je w jelitach czy wątrobie. Niezależnie od wszystkich tych ataków – niech Bóg ma Pana w opiece. Nas, których Pan pokierował na drogę zdrowia, jest wielu i nie pozwolimy Pana obrażać. Jest już nas cała armia, a Pan, jako wojskowy, niech da tylko rozkaz, byśmy na całe gardło oświadczyli, kto jest kim. Kochamy Pana jako najlepszego człowieka, a Pańscy współpracownicy są dla nas jak członkowie najbliższej rodziny.

O. Abramowa, Moskwa

Nie mogę w tym miejscu powstrzymać się od przywołania jeszcze jednego listu, który przyszedł na adres „Zdro-

wego Stylu Życia", oraz odpowiedzi redaktora naczelnego gazety, Anatolija Korszunowa:

Jestem od dawna prenumeratorem „Zdrowego Stylu Życia". Z niecierpliwością czekam na każdy kolejny numer. Znajduję tu bardzo wiele informacji dla siebie. Nie umknęły mojej uwadze również pozytywne opinie na temat przyjmowania nadtlenku wodoru i już od 2 lat przyjmuję H_2O_2. Wszyscy moi znajomi, podobnie jak i ja, są ludźmi wiekowymi i przyjmują nadtlenek wodoru oraz czują się znacznie lepiej. Oto pewnego razu (sierpień-wrzesień 2004 r.) zadzwonili do mnie i powiedzieli, że w jednym z programów Eleny Małyszewej (na temat zdrowia) zadano jej pytanie odnośnie nadtlenku wodoru, na co ona bardzo kategorycznie odpowiedziała: „W żadnym wypadku! To w rezultacie doprowadzi do ciężkich powikłań". Moi znajomi od razu zaprzestali przyjmowania nadtlenku wodoru i prosili mnie, bym do Was napisała.

I.J. Szeina, okręg Permski, Bieriozniki

Odpowiedź redaktora naczelnego:

Podobnych listów przyszło do redakcji „Zdrowego Stylu Życia" wiele. Ludzie przyjmowali nadtlenek i wszystko było pięknie – latali jak na skrzydłach. Ale gdy tylko przeczytali w miejscowej gazecie notatkę lub usłyszeli w programie telewizyjnym zdanie specjalisty... wystraszyli się.

Nie mogę zrozumieć – chociaż w głębi duszy się domyślam – po co, w jakim celu się to robi? Pisaliśmy już, że w naszej poczcie redakcyjnej, w całej długiej historii propagowania H_2O_2, pośród rozlicznych pozytywnych opinii na temat przyjmowania mieszanki, znajdują się doniesienia o nie więcej niż dwóch, trzech negatywnych rezultatach. U kogoś podwyższyło się ciśnienie, u kogo innego pojawiły się bóle głowy... Ludzie ci zaprzestali przyjmowania nadtlenku i pewnie dobrze zrobili – „nie przyjęło się".

Mogę przytoczyć przykład z własnego doświadczenia. Zdarzyło mi się być w Ameryce. Spotkałem się ze starym znajomym z „Sowietskiego sportu" [czasopismo rosyjskie, wychodzące od 1924 r.]. Wspominaliśmy przy stole przyjaciół, którzy odeszli; niestety, wielu ich naliczyliśmy. Nad ranem odkryłem, że moja prawa noga napuchła, bolała nie do wytrzymania, zaczerwieniła się i biło od niej gorąco. Znajomy poradził, bym zwrócił się do lekarza. Ten obejrzał moją nogę i zaordynował kroplówkę.

- Co znajduje się w kroplówce? – zainteresowałem się.
- Nadtlenek wodoru, sól fizjologiczna, witamina C i antybiotyk – odpowiedział doktor.
- Nadtlenek! – odkrzyknąłem. – Wy go stosujecie?
- Tak, już od 12 lat...
- Z powodzeniem?
- Praktycznie stuprocentowym.
- Ale ja nigdzie o tym nie czytałem!
- I nie przeczyta pan, chociaż... Jest kilka książek...

Rzecz w tym, że amerykańscy lekarze otrzymują bezpłatne lekarstwa od producentów. Cel jest jeden – przyuczyć do nich pacjentów, by potem kupowali te zazwyczaj drogie środki w aptekach. Tym firmom raczej nie spodobałaby się wzmianka o tanim nadtlenku.

Przyjąłem dwie kroplówki z antybiotykiem. Noga doszła do normy. Ale ja kontynuowałem cykl – jeszcze 6 kroplówek, z tym że już bez antybiotyku... Czy potrzebne są jakieś komentarze? Nasz korespondent Grigorij Małaj znalazł w Iżewsku lekarzy, którzy – w odróżnieniu od swoich kolegów-oponentów

- wykorzystują H_2O_2 w celu pomyślnego leczenia wielu ciężkich schorzeń.

Anatolij Korszunow

Korespondent „ZSŻ" przeprowadził wywiad z Iżewskimi lekarzami i w czasopiśmie (nr 2/278 z 2005 roku) pojawił się artykuł „Są tacy lekarze. Praktyka kliniczna w zastosowaniu H_2O_2", z którego wyjątki przytaczam poniżej:

Ordynator katedry chirurgii fakultatywnej Iżewskiej Akademii Medycznej B. A. Sytnikow nie ukrywa, że pierwszy raz przeczytał o fantastycznych możliwościach nadtlenku wodoru w „Zdrowym Stylu Życia".

B. A. Sytnikow: Profesor Nieumywakin był bardzo przekonujący, kiedy wyjaśniał korzyści wynikające z zastosowania nadtlenku do stymulacji rezerw immunologicznych organizmu - opowiada Sytnikow. Zainteresowałem się tym poważnie i przeczytałem książkę amerykańskiego lekarza W. Douglasa „Uzdrawiające właściwości nadtlenku wodoru" i zrozumiałem, że to właśnie to, co jest mi nieodzowne w mojej pracy.

Nasza katedra i oddział chirurgiczny specjalizuje się w dolegliwościach ropno-zapalnych (żylakowate zapalenie żył, zarostowe zapalenie tętnic, tak zwana stopa cukrzycowa - noga z zanikiem naczyń włosowatych, spowodowanym atrofią tkanek przewlekle pozbawionych tlenu). Niegojące się wrzody, prowadzące często do nieuniknionej amputacji kończyny są nierzadkim skutkiem choroby.

Właściwość nasycania tkanek brakującym tlenem, którą posiada nadtlenek wodoru tchnęła we mnie nadzieję - być może jest to prosty i dostępny środek, którego bezskutecznie od dawna szukamy... Zaczęliśmy wprowadzać nadtlenek dożylnie i do arterii biodrowej. By osiągnąć pozytywne skutki, ściśle przestrzegaliśmy dwóch warunków: nadtlenek miał niskie stężenie 0,12% i tempo podawania nie przewyższało 14-15 ml/min. Przy takich ograniczeniach zabieg tego typu jest całkowicie bezpieczny.

Korespondent gazety: Przepraszam, Beniaminie Arsieniewiczu, ale niektórzy Pańscy koledzy uważają, że ta metoda to barbarzyństwo. Nadtlenek wodoru sam w sobie stanowi prawie truciznę. Przecież wydzielający się tlen grozi zatkaniem naczyń krwionośnych. Nie boi się Pan tak ryzykować?

B. A. Sytnikow: Nie było żadnego ryzyka. W niewielkim stężeniu nieraz nawet silna trucizna staje się nieszkodliwa. Przy powolnej iniekcji nie tworzą się pęcherzyki, a cały tlen zostaje zaabsorbowany przez „głodne tkanki". Całkowite bezpieczeństwo zabiegu - oczywiście przy fachowym i ostrożnym wykonaniu - zostało wielokrotnie dowiedzione, zatwierdzone i propagowane jest przez nas w regionach. Moim oponentom brak argumentów, by uzasadnić swój sceptycyzm.

Efektów pozytywnego oddziaływania nadtlenku jest kilka. „Głodne" tkanki, nasycając się tlenem, zostają uratowane od śmierci, znika niekiedy uporczywy ból, poprawiają się procesy metaboliczne, w rezultacie czego u diabetyków można dwukrotnie zmniejszyć dawki insuliny i innych środków zniżających poziom glukozy we krwi.

Dzięki nowej metodzie na naszym oddziale zmniejszyła się liczba amputacji, a w przypadkach, gdy były one nieuniknione, zmniejszyła się strefa amputacji, przez co można było uratować większą część kończyny.

Korespondent gazety: Rozumiem, że wprowadzać nadtlenek do żył może jedynie wykształcony specjalista w warunkach klinicznych. Lecz jak Pan, po szczegółowym przestudiowaniu właściwości nadtlenku, zapatruje się na ideę Nieumywakina, by proponować przyjmowanie nadtlenku w wielu chorobach?

B.A. Sytnikow: Zapatruję się na to zdecydowanie pozytywnie... Jako lekarz rozumiem, że w chorobie wieńcowej, bólu dławicowym czy arteriosklerozie bardzo pożądane jest podawanie chorym nadtlenku w postaci kropelek. Przecież wchłanianie zaczyna się już na języku. Ale kłopot w tym, że nadtlenek wodoru ma bardzo niską cenę, a nasza farmakologia stworzyła cały przemysł produkujący drogie lekarstwa na chorobę wieńcową i arytmię. Nie tak łatwo zrezygnować z ogromnych zysków".

Dalej korespondent pisze:

Tajniki tej metody otworzyła przede mną Pani dyrektor Centrum Medycznego „Life", Elmira Hamitowna Pozdiejewa, lekarz hirudoterapeutka [używająca do terapii pijawek lekarskich], fitoterapeutka, akuszerka i ginekolog.

Ciekawe, że swe umiejętności leczenia chorób przy pomocy nadtlenku wodoru nabyła nie od Nieumywakina i Sytnikowa, lecz od Aleksandra Tymofiejewicza Ogułowa - jeszcze jednego entuzjasty, który zarządza w Moskwie Centrum Edukacyjnym, w którego programie znajduje się i ta metoda.

Zaczęła ona, jak to zazwyczaj bywa, od siebie. Dopiero przekonawszy się o pozytywnym działaniu, jęła polecać tę metodę pacjentom. Na sobie ciekawska pani doktor wypróbowała oczywiście o wiele większą dawkę - 1 łyżkę stołową na szklankę wody. Jest to, jak twierdzi Pozdiejewa, uzasadnione w ostrych przypadkach.

Na przykład przeziębienia należy natychmiast traktować dawką uderzeniową nadtlenku. Może się przy tym pojawić uczucie dyskomfortu w żołądku, pieczenie błony śluzowej. Ale po upływie 3-4 dni żaden z tych objawów nie pozostanie. Zniknie za to wzdęcie, stolec wróci do normy, pojawi się uczucie lekkości, czystości w ciele i rozjaśnienie umysłu...

Publikacje te przytaczam ze względu na to, że po wystąpieniu E. Małyszewej w programie pierwszym telewizji nie tylko do redakcji „Zdrowego Stylu Życia", ale i do innych redakcji i do radia ludzie zaczęli się zwracać z pytaniem, co robić: przyjmować nadtlenek czy nie. Na przykład W. Kaszyn, zwracając się do czasopisma „Zdrowie" dnia 09.04.2005, pisze:

„Napiszcie prawdę o nadtlenku wodoru. Cała nasza wieś to pije za radą profesora Nieumywakina". W odpowiedzi „Zdrowie" pisze:

Ogólnie rzecz biorąc, lekarze używają nadtlenku wodoru do dezynfekowania ran, a kobiety - by przedzierzgnąć się w blondynki. Według teorii Iwana Nieumywakina, jeśli pić codziennie roztwór nadtlenku wodoru w stężeniu 3% [który jest w Polsce nazywany wodą utlenioną; w rzeczywistości Iwan Nieumywakin mówi o rozcieńczaniu takiego roztworu, a więc o daleko mniejszych stężeniach, co będzie objaśnione w dalszej części książki, a czego nie zauważył widać autor tego negatywnego komentarza], to tkanki wewnętrzne będą nasycać się tlenem i pomoże to organizmowi walczyć z każdą infekcją, podniesie odporność i ochroni przed rakiem, oraz wyleczy z depresji.

Jak nam wyjaśnił zastępca dyrektora naukowego Instytutu Naukowo-Badawczego medycyny molekularnej Moskiewskiej Akademii Medycznej imienia I.M. Sieczenowa, doktor habilitowany nauk biologicznych, profesor Wsiewołod Kisielow, nadtlenek wodoru nie może wzbogacać krwi tlenem - niezależnie od tego, ile go wypijemy, ile zakroplimy do nosa, albo ile kompresów przyłożymy.

Jeśli komuś się wydaje, że mu to pomaga, to nic w tym dziwnego. Niektórzy „leczą" się rtęcią i również zaczynają czuć się lepiej, tylko czy na długo? To się nazywa efekt placebo. Każde lekarstwo, zanim znajdzie się w aptece, przechodzi przez badanie placebo. Połowa grupy kontrolnej otrzymuje lekarstwo, druga połowa środek neutralny - placebo.

U 35% nawet ciężko chorych pacjentów zachodzi polepszenie stanu zdrowia... w wyniku łykania kredy. W przypadku z nadtlenkiem wodoru zachodzi ten sam fenomen.

Cóż mogę rzec w odpowiedzi? E. Małyszewa jest zaledwie doktorem nauk medycznych i, prowadząc swe programy zazwyczaj według wcześniej przygotowanego scenariusza,

może nie znać wszystkich niuansów fizjologii, podobnie jak i wielu innych lekarzy o wąskich specjalizacjach.

Jednak jeśli profesor, i to jeszcze profesor medycyny molekularnej, nie wie niczego o silnych mechanizmach gromadzenia rezerw w systemie odpornościowym, a dokładniej – o nadtlenku wodoru, to już jest niewybaczalne... Można jedynie wyobrazić sobie, z jakim zasobem wiedzy zaczynają pracę lekarze po ukończeniu tej akademii!

Tymczasem tacy lekarze jak profesor W.A. Sytnikow, od razu zrozumiawszy mechanizm działania nadtlenku wodoru, w odróżnieniu od profesora W. Kisieliowa, który rozprawia o tym, czego nie zna, nie boją się wziąć na siebie odpowiedzialności i odważnie wykorzystują dawno zapomniane, stare metody, które znane są od ponad stu lat, ponieważ rozumieją, że przyszłość medycyny to symbioza medycyny oficjalnej i ludowej (z której, nawiasem mówiąc, powstała medycyna oficjalna), plus dogłębna wiedza o procesach fizjologicznych zachodzących w organizmie.

Niestety, bardzo wielu lekarzy przyzwyczajonych do leczenia zatwierdzonymi metodami, wciąż nie chce samodzielnie myśleć: tak przecież jest wygodniej i faktycznie nie trzeba za nic odpowiadać. Ale wmuszać drogie, i do tego wątpliwej jakości, suplementy diety albo niesprawdzone pod względem jakości lekarstwa zza oceanu, byle by zarobić swój procent od sprzedaży – to przychodzi im z łatwością.

Mam przyjaciela, interesującego człowieka, Iwana Sawieliewicza Biedinskiego. Rozmawiałem z nim jakiś czas temu. Dręczyła mnie wtedy kwestia, dlaczego zamiast walczyć na poziomie państwowym o program uzdrowienia nacji, ludzie odpowiadający za tę kwestię sprzyjają raczej temu, by w kraju było więcej aptek, zawalonych drogimi preparatami chemicznymi wątpliwej zagranicznej produkcji, które nie leczą, tylko wpędzają chorych w stan, z którego jest już jedna droga – na tamten świat. Podyktował mi wtedy wiersz, który trafnie opisuje to, co obserwujemy.

Światło i zwierciadła

O jakże wielki intelekt jest człowieka:
Co skrzyżowanie, to nowa apteka.
N. Zabołocki

W świecie Mocne Światło świeci,
Co ziarna mądrości zasiało,
By ludzi zbawić od sieci,
Mgłę głupoty rozwiało.

Rosję wiedzą zrosiło
A świadomość dobrymi płody,
I pokazało, i nauczyło
Brać zdrowie od Przyrody.
Lecz zwierciadła się wzburzyły,
I miast odbicie tworzyć,
W dzwony gromko zabiły
- Zniekształceń Administratorzy.

Jak grzybów w lesie urodzaj niewąski,
Tak kraj zaścielon aptekami.
Śmieć wiozą nam zamorski
Biznesu ludzie cwani.

Dogmatów wymierających gardło,
Grzech jatrogenny* stał się normą.
W Rosji włada krzywe zwierciadło
Ze zwyrodniałą formą.
I. Biedinski

* Jatrogenny – z greckiego *„jatros"* – lekarz i *„genao"* – rodzę. Stan chorobowy albo wręcz choroba, wynikające jako reakcja na niewłaściwe

zinterpretowanie przez chorego słów, zachowania lekarza lub przeczytanej literatury medycznej itd. Nie na darmo mówi się: „Słowo leczy i kaleczy". Na przykład w onkologii: jedni lekarze są zdania, że choremu należy mówić prawdę, inni – że nie należy tego robić. Ma to miejsce, ponieważ według większości lekarzy każda choroba onkologiczna, zapalenie wątroby typu C i tym podobne dolegliwości to choroby nieuleczalne. Ich zdaniem pacjent, usłyszawszy taką diagnozę, wpadnie w szok i uzależnienie od lekarstw. W rzeczywistości te choroby to stan, z którego – przy mobilizacji własnych sił oraz ukierunkowaniu świadomości – można wyjść, o czym dowiecie się w dalszej części niniejszej książki (przypis autora).

O właściwościach fizjologicznych procesu oddychania

W CIĄGU 57 lat działalności lekarskiej, z czego 40 poświęciłem pracy naukowej, w sumie ponad 15 lat zajmowałem się kwestiami oddychania. Wystarczy powiedzieć, że moja pierwsza praca z czasów studenckich, którą napisałem na wydziale fizjologii u profesora G.P. Konradi (1946 r.), poświęcona była roli dwutlenku węgla w regulacji wymiany gazowej.

W okresie od roku 1959 do 1964 zajmowałem się zagadnieniami związanymi z opracowaniem metod i środków odczytywania parametrów fizjologicznych kosmonautów w czasie lotu i przekazywania ich za pomocą kanałów telemetrycznych. W ten sposób została stworzona seria przyrządów służących do studium funkcji oddychania zewnętrznego, co stało się podstawą mojej pracy doktorskiej.

Suchy spirometr przenośny

Stworzono na przykład przenośny suchy spirometr, pozwalający otrzymywać dane o stanie płuc w takich warunkach, w których przy użyciu istniejących wówczas przyrządów nie byłoby to możliwe. Mój promotor, akademik [członek Akademii Nauk] B.E. Wotczał powiedział: „Nie wątpię, że Pańskie dalsze życie będzie związane z zagadnieniami dotyczącymi oddychania. Proszę zwrócić przy tym uwagę na to, że w organizmie

I.P. Nieumywakin sprawdza pojemność płuc za pomocą spirometru wodnego w kombinezonie wysokościowo--kompensacyjnym, 1960 r.

jest ogromna siła, bez której nie byłoby możliwe nasze życie – jest to nadtlenek wodoru".

W 1964 roku powierzono mi pracę nad stworzeniem środków i metod służących udzielaniu pomocy medycznej kosmonautom w czasie lotów różnej długości.

Dzięki pomocy ówczesnego ministra zdrowia, B.W. Pietrowskiego, i jego zastępcy, A. I. Burnazjana, do prac nad tym problemem zostały włączone dziesiątki specjalistycznych instytutów kraju, które w późniejszym czasie pomogły mi rozwikłać również kwestie dotyczące oddychania.

By rozeznać się w mechanizmach oddychania, od którego zależy faktycznie całe nasze życie, koniecznie trzeba zrozumieć, oczywiście w formie uproszczonej, przynajmniej następujące zagadnienia:

- jak odbywa się wymiana gazowa w organizmie i jaką rolę pełnią gazy wchodzące w skład powietrza atmosferycznego,
- od czego zależy równowaga kwasowo-zasadowa albo procesy utleniająco-redukcyjne, będące podstawą naszego zdrowia,
- gdzie znajduje się serce (o czym nie wie nawet wielu lekarzy),
- na czym polega mechanizm pracy i rola układu immunologicznego, w tym również nadtlenku wodoru jako jego części składowej.

Zatem podstawy naszego życia stanowią: powietrze, woda i pokarm. Oczywiście, bez tych czynników organizm nie może istnieć, ale jeśli ocenić je pod względem ważności, to bez powietrza człowiek może przeżyć najwyżej od 3 do 5 minut (potem zachodzą nieodwracalne procesy), bez wody – od 3 do 7 dób, bez pożywienia – 30 i więcej dni.

Przede wszystkim uściślijmy, czym oddychamy. Ogólne ciśnienie w organizmie wynosi, podobnie jak w atmosferze, 760 mm słupa rtęci, a ciśnienie parcjalne (częściowe) rozkłada się następująco: azotu – 600 mm (około 79%), tlenu – 159 mm (21%), dwutlenku węgla – 0,01–0,03%, argonu – 1%, i nieznaczna ilość innych gazów.

W naszych czasach dowiedziono, że w związku z wysokim poziomem gazów, zadymieniem powietrza, szczególnie w miastach, w tym również w związku z niemądrym zachowaniem człowieka (palenie itp.), tlenu w atmosferze jest prawie 20% mniej, co stanowi prawdziwe niebezpieczeństwo, które jawi się przed ludzkością w całej swej okazałości.

Skąd bierze się osłabienie, uczucie zmęczenia, senności i depresja? Otóż jest to związane z tym, że organizm nie otrzy-

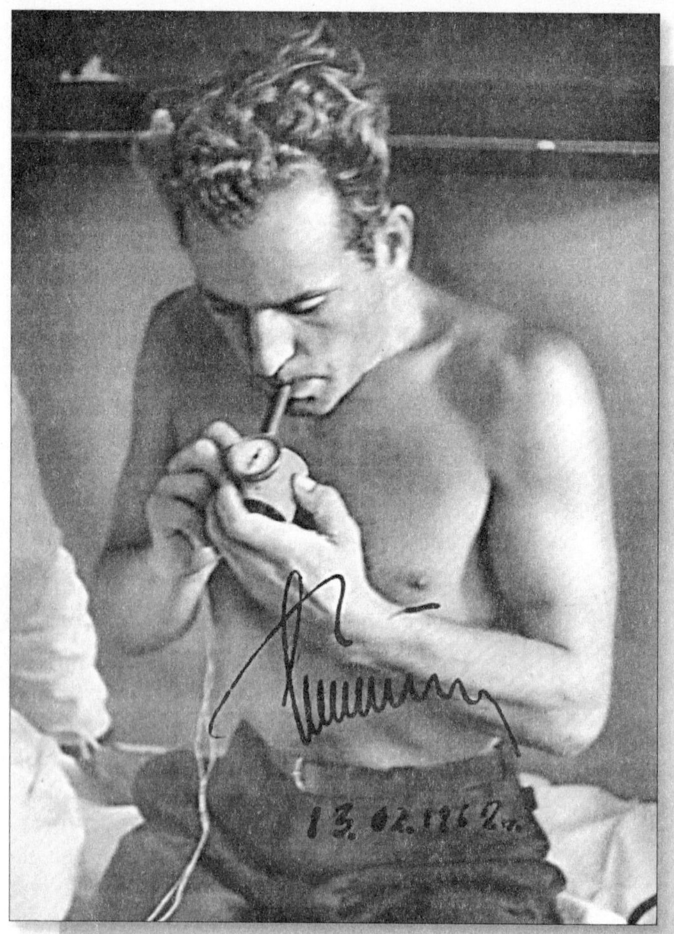

G.S. Titow wypróbowuje pojemność płuc za pomocą suchego spirometru, 1961 r.

muje właściwej ilości tlenu. Oto dlaczego w chwili obecnej coraz większą popularnością cieszą się, jako wypełnienie tej luki, koktajle tlenowe. Jednak prócz krótkotrwałego efektu nic one nie dają. Cóż zatem pozostaje człowiekowi robić?

Gazowe składniki organizmu, %					
Gaz	Atmosfera	Płuca	Krew tętnicza	Krew żylna	Tkanki
Azot	79	79	79	79	79
Argon	1	1	1	1	1
Tlen	21	13-14	10-12	4-4,4	4,5-5
Dwutlenek węgla	0,01-0,03	6-7	6-6,5	6-7	6,5-7,5

W tabeli ukazano, w stanie jakiej równowagi wobec siebie powinny pozostawać gazy w organizmie. Naruszenie tej równowagi jest brzemienne w skutki, choć każdy gaz ma inne przeznaczenie.

Azot

Co się tyczy roli azotu w procesie oddychania, to sprowadza się ona do następującego: Obecnie dowiedziono, że azot w organizmie przyswaja się za pomocą specjalnych mikroorganizmów, znajdujących się w odcinku tracheobronchialnym [krtaniowo-oskrzelowym] płuc oraz w jelitach, podobnie jak w glebie – przy pomocy bakterii. Okazuje się, że związki zawierające azot, znajdujące się w organizmie człowieka i zwierząt mogą rozkładać się do postaci azotu cząsteczkowego i można wydychać go nawet więcej niż się wdycha. Wychodzi na to, że nie tylko oddychamy azotem, a dodatkowo jeszcze odżywiamy się nim, z tym że nie azotem atmosferycznym, a związanym, białkowym.

O ile wcześniej uważano azot za gaz inercyjny [bezczynny], to teraz amerykańscy uczeni ustalili, że w silniku spalania wewnętrznego, przy temperaturze powyżej 1000°C, azot zawarty w powietrzu łączy się z tlenem, tworząc tlenki azotu (substancje posiadające dość wysoką aktywność chemiczną). Jeśli przyjąć, że w taki właśnie sposób proces ten zachodzi w organizmie (G. Pietrakowicz), to synteza aktywnych połączeń azotu w zasadzie staje się w nim możliwa.

Chemikom znany jest fakt, że w roztworach wodnych (krew) tlenki azotu przekształcają się w azotany [nitraty], a następnie w aminokwasy – podstawę budowy struktur białkowych. Znana jest opinia

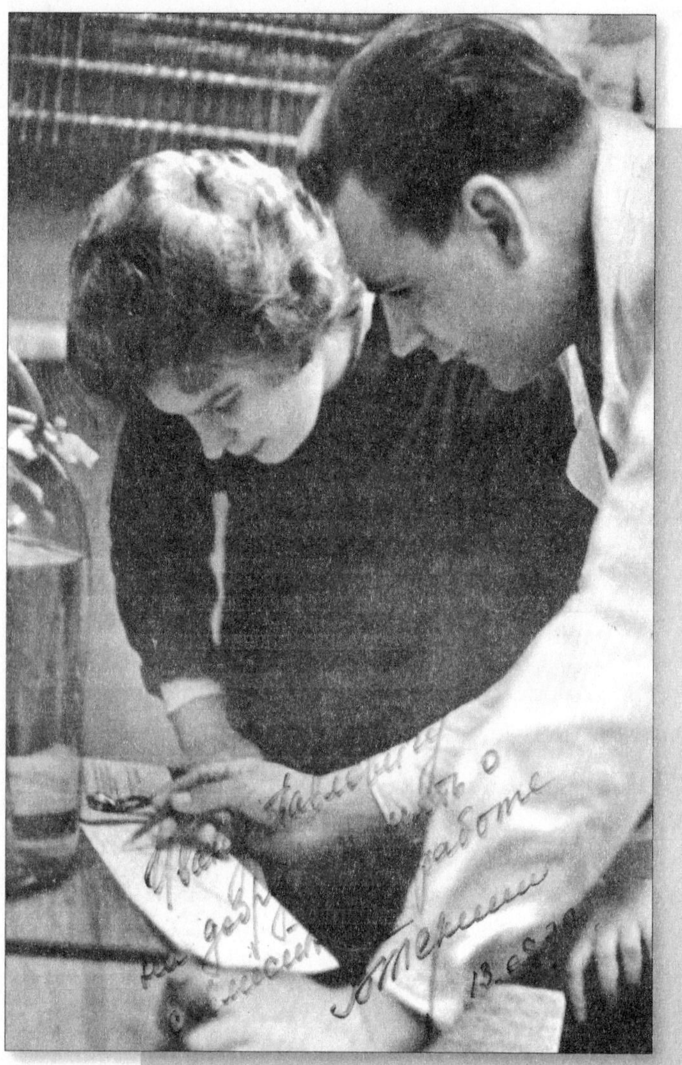

I.P. Nieumywakin z W.W. Tierieszkową przed przeprowadzeniem eksperymentu w komorze dźwiękoszczelnej („komorze ciszy"), 1962 r.

W.W. Pietrowski i I.P. Nieumywakin wspominają, jak tworzyli „Szpital Kosmiczny", 2001 r.

wielu badaczy uważających, że pierwotna cząsteczka białka powstała z azotu zawartego w powietrzu, przy oddziaływaniu wyładowań elektrycznych i wysokich temperatur.

No i mamy reaktor termojądrowy w organizmie, o którym wiele się mówi, ale nikt nie umiał wyjaśnić, na czym polega. Staje się jasne, dlaczego w wielu przypadkach sportowcy stosujący określony tryb odżywiania nie tracą wagi po udziale w maratonie, a nawet przybierają na masie.

Podobne zjawisko zaobserwowała również G.S. Szatałowa. Opowiadała, że po wielokrotnym przejściu przez piaski Karakumów u uczestników wycieczki, mimo niskokalorycznego pożywienia, waga pozostała bez zmian lub nawet się zwiększała.

By nie pogubić się w dalszej części naszych rozważań, należy od razu powiedzieć kilka słów o ukazanym w tabeli gazie argonie, na który zazwyczaj nikt nie zwraca uwagi. Jak dowiedli zajmujący się opracowaniem zestawów podtrzymania procesów życiowych w statkach kosmicznych W. Smolin, B. Pawłow i inni, gaz ten zwiększa rezystancję (opór) organizmu w stosunku do azotu przy obniżonym poziomie tlenu (hipoksji) – zarówno w podwyższonym, jak i w normalnym ciśnieniu, a także przy kompresji i dekompresji.

Wskazana praca otwiera kuszące perspektywy nie tylko dla przyszłych lotów kosmicznych, ale i dla ochrony zdrowia w ogóle (opracowanie mieszanek tlenu z argonem, helem, ksenonem i kryptonem w celu leczenia rozmaitych chorób).

Tlen

Tlen występuje w przyrodzie w kilku postaciach: cząsteczkowej [molekularnej] w atmosferze, w organizmie – atomowej, uzyskiwanej z nadtlenku wodoru, oraz w postaci ozonu, który występuje w przyrodzie szczególnie po burzy, nad morzem, w pobliżu wodospadów oraz w nieznacznej ilości – w organizmie. Oprócz tego istnieją jeszcze izotopy tlenu O^{17} i O^{18}, i chociaż jest ich skrajnie mało, mogą ze względu na swój potencjał energetyczny wnosić wkład w procesy biologiczne organizmu. Istnieją interesujące dane statystyczne: ciąże wielopłodowe i rodzenie dzieci o unikalnych cechach związane są z wysokim potencjałem energii i tworzeniem się tych izotopów przy zbyt energicznym kontakcie płciowym. I odwrotnie – rodzenie dzieci z zespołem Downa częściej obserwuje się u par wiekowych, w związku z niedostateczną ilością energii (tlenu) w organach płciowych.

W rzeczywistości tlen molekularny jest niezdolny do działania. Dzięki procesom biochemicznym przekształca się on w tlen atomowy, który stanowi końcowe ogniwo reakcji – zarówno ozonu, jak i nadtlenku wodoru.

Obecnie coraz modniejsza staje się tak zwana „ozonoterapia", na temat której przeprowadzono już trzy kongresy. W rzeczywistości terapia ta nie jest terapią ozonową. Ozon to substancja toksyczna, i aby wykorzystać go wobec człowieka, nieodzowne jest jego określone stężenie. W organizmie momentalnie przeradza się on w tlen atomowy. Innymi słowy: w organizmie działają tylko atomy tlenu (tlen atomowy). A zatem działają wszystkie postacie tlenu – co prawda z różną energią, ale ostatecznym ogniwem w łańcuchu procesów utleniania jest tlen atomowy. Dlatego też nazwa „ozonoterapia" najwyraźniej używana jest w celu przyciągnięcia uwagi do jakoby nowej metody leczenia. W istocie to tlen oddziałuje i metoda ta powinna nazywać się „tlenoterapią".

Mechanizm powstania życia na Ziemi pozostaje do dziś zagadką, lecz większość badaczy zgadza się z tym, że jej atmosfera składała się w znacznej mierze z dwutlenku węgla, i organizmy roślinne, które się pojawiły, znalazły w tej substancji nieograniczone zasoby dla fotosyntezy, w procesie której z dwutlenku węgla i wody powstały związki organiczne i wolny tlen, będący podstawą życia biosfery. Jednocześnie, przy udziale wysokich temperatur i wyładowań elektrycznych, azot w powietrzu, łącząc się z tlenem, tworzył tlenki azotu – substancje dysponujące dość wysoką aktywnością chemiczną – w rezultacie czego pojawiły się pierwotne cząsteczki białka. Chemikom znany jest fakt, że nawet w roztworach wodnych krwi tlenki azotu mogą przekształcać się w azotany, a następnie w aminokwasy, bez czego nie byłoby możliwe życie.

Ponieważ fotosynteza przebiega w wodzie znacznie sprawniej niż na lądzie, w rezultacie tego procesu, w którym biorą udział dwutlenek węgla, tlen, azot i ozon, w atmosferze powstał określony stosunek gazów, który nie zmienia się już od wielu milionów lat: 79% azotu, 21% tlenu, 1% argonu, 0,033% dwutlenku węgla.

Oddalając się coraz bardziej od fizjologicznych podstaw życia, uczeni zajmujący się człowiekiem do dnia dzisiejszego nie odkryli prawdziwej istoty życia komórki: co leży u podstaw jej procesów życiowych. Zamiana zaszczepionych w organizmie podstaw Przyrody na metody chemiczne, które osłabiają jego rezerwowe mechanizmy obronne, sprzyja pojawieniu się coraz to cięższych chorób i skróceniu życia człowieka.

Moje życie tak się ułożyło, że zajmowałem się działalnością badawczo-naukową od lat sześćdziesiątych XX wieku i poszukiwałem metod leczenia chorób, które rzekomo były nieuleczalne. Wciąż zadawałem sobie pytanie: jakie naturalne mechanizmy mogą nie dopuścić do żadnych zachorowań w ciągu życia człowieka bez stosowania środków chemicznych? Po pierwsze: oznaczało to w praktyce poszukiwanie praprzyczyny chorób, usunąwszy którą, można nie tylko zapobiec chorobom, ale i pozbyć się ich.

Po drugie: wiadomo, że tlenu jest w organizmie około 65% i nie może zachodzić bez niego żadna reakcja biochemiczna i energetyczna. Na czym polega uniwersalność tlenu, a przede wszystkim – jaki jest mechanizm jego działania, i czy istnieje coś, czym można by go było zastąpić? Tym bardziej, że z wiekiem generowanie tlenu z wielu powodów (coraz mniej ruchu, zanieczyszczenie organizmu i inne) ulega znacznemu zmniejszeniu.

Podczas analizy procesów biologicznych ustalono, że w organizmie trwa ciągły proces tworzenia przez komórki układu odpornościowego (i nie tylko przez nie, ale i na przykład przez pałeczki jelitowe) nadtlenku wodoru [H_2O_2] i ozonu [O_3] z wody [H_2O] i tlenu cząsteczkowego [O_2]. H_2O_2 i O_3 wydzielają w procesie rozpadu tlen atomowy. A bez niego komórka byłaby martwa!

Idąc dalej, rola tlenu cząsteczkowego w organizmie sprowadza się do tworzenia tlenu atomowego, który zapewnia zachodzące w strukturach komórkowych procesy utleniania i redukcji, a także utrzymuje zdrowie na poziomie komórkowym. Naruszenie tego procesu stanowi właśnie praprzyczynę wszystkich chorób.

W ten sposób powstaje trzecia kwestia – jak i co należy robić, by zapobiec wymienionym nieprawidłowościom bez uciekania się do stosowania chemicznych środków leczniczych, za pomocą których możliwe jest usunięcie jedynie skutków, a nie zasadniczej przyczyny?

Biorąc pod uwagę fakt, że tlen atomowy wytwarzany jest w organizmie z wody i tlenu molekularnego przez nadtlenek wodoru i ozon, zdecydowano, że przy zaburzeniu tego naturalnego procesu (zaburzenia takie obserwuje się wraz z pojawieniem się jakiejkolwiek choroby lub też z obniżeniem możliwości rezerwowych organizmu wraz z wiekiem), należy użyć nadtlenku wodoru w zastosowaniu zewnętrznym, doustnie, w lewatywach, a nawet dożylnie.

Efekty nie kazały na siebie długo czekać. Tym bardziej, że metoda stosowania nadtlenku wodoru jest bardzo prosta i, co nie mniej istotne, praktycznie nic nie kosztuje.

Po czwarte – czy nie można by oddziaływać na organizm efektywniej z użyciem naturalnych metod fizjologicznych, dostarczających energii za pomocą fal ultrafioletowych nie tylko przez naświetlanie z zewnątrz, ale również dożylne? Przez ponad 15 lat trwały poszukiwania zakresu promieni ultrafioletowych, w którym działa każda komórka. Jest to szczególnie ważne, ponieważ pod wpływem ultrafioletu powstaje ozon, który w organizmie błyskawicznie zmienia się w tlen atomowy. W celu osiągnięcia zamierzonego efektu określono czas oddziaływania, zakres promieni ultrafioletowych i ilość napromieniowywanej krwi, w rezultacie czego zbudowano urządzenie „Helios-1" do zastosowania w medycynie, „Helios-2" – do użytku w weterynarii, i maszynę MUFOR – w gospodarstwach rolnych.

Okazało się, że promieniowanie ultrafioletowe, oddziałując na krew, sprzyja szybszej przemianie tlenu molekularnego w atomowy, przy czym dodatkowo wytwarza ozon, również błyskawicznie przekształcający się w tlen atomowy, wykazujący silne działanie w zakresie normalizacji zaburzonych procesów bioenergetycznych.

Z początku metoda była oczywiście dopracowywana i sprawdzana na zwierzętach – bydle rogatym. Na przykład u krów ras wysokowydajnych, szczególnie tych sprowadzanych z zagranicy, w związku ze złymi warunkami chowu rozwijał się ropień kopyta, z którym nie można było sobie poradzić. Po jednym, dwóch zabiegach naświetlania, choroba ustępowała. Cielęta, które dopiero co przyszły na świat, stawały się rześkie i wyprzedzały swych rówieśników pod względem wzrostu, wagi oraz innych parametrów. Doświadczenia kliniczne, przeprowadzone potem przez wiodące instytucje naukowe kraju, potwierdziły wysoką efektywność leczniczo-profilaktycznego zastosowania proponowanego instrumentu praktycznie we wszystkich dolegliwościach.

Tlen stanowi najbardziej rozpowszechniony pierwiastek na Ziemi. W atmosferze jest go około 21%, w składzie wody - około 89%, w ludzkim organizmie - około 65%.

Wolny tlen występuje prawie wyłącznie w atmosferze, i jego ilość szacuje się na 10^{15} ton. Jest to tlen molekularny [cząsteczkowy], stanowiący podstawę wszystkich procesów biologicznych na Ziemi. W obecnej epoce geologicznej obieg tlenu związany jest przede wszystkim z węglem i wodorem. Na przykład w skład białek, poza węglem (50–55%), tlenem (19–24%) i wodorem (6,5–7,5%), w minimalnych ilościach wchodzą i inne pierwiastki (fosfor, żelazo, siarka, miedź itp. - prawie połowa tablicy Mendelejewa), od których równowagi elektrolitycznej zależy prawidłowe funkcjonowanie komórek. Ogromne znaczenie w tym układzie mają jednak tlen i dwutlenek węgla.

Tlen jest utleniaczem, który spala substancje trafiające do organizmu. Co ma miejsce w organizmie, a właściwie w płucach, podczas wymiany gazowej? Krew, przechodząc przez płuca, nasyca się tlenem. W tym czasie skomplikowany twór, jakim jest hemoglobina, przekształca się w oksyhemoglobinę, która wraz z substancjami odżywczymi jest rozprowadzana po całym organizmie. Krew przybiera przy tym jaskrawoczerwoną barwę. Wchłonąwszy w siebie wszystkie przetworzone produkty przemiany materii, krew przypomina już ściek. W płucach, przy dużej koncentracji tlenu, produkty rozkładu ulegają spaleniu, i zbędny dwutlenek węgla zostaje wydalony.

Kiedy organizm jest zanieczyszczony w przebiegu różnych chorób płuc, u pacjentów palących itp. (gdy zamiast oksyhemoglobiny powstaje karboksyhemoglobina, w istocie blokująca cały proces oddychania), krew nie tylko nie oczyszcza się i nie odżywia nieodzownym tlenem, ale w takiej postaci wraca do tkanek, które i tak duszą się z powodu niedostatecznej ilości tlenu. Krąg się zamyka i już kwestią przypadku pozostaje, w jakim miejscu układ ulegnie awarii.

Z drugiej strony im pożywienie jest bliższe przyrodzie (roślinne), poddane jedynie nieznacznej obróbce, tym więcej znajduje się w nim tlenu, uwalniającego się podczas reakcji biochemicznych. Dobre odżywianie nie oznacza przejadania się i łączenia wszystkich produktów żywnościowych „do kupy". W smażonych, konserwowanych produktach żywnościowych tlenu nie ma w ogóle. Taki produkt staje się „martwy" i dlatego do jego trawienia potrzeba jeszcze większej ilości tlenu.

To jednak tylko jedna strona problemu.

Działanie naszego organizmu zaczyna się od jego jednostki strukturalnej – komórki, w której jest wszystko, co nieodzowne do życia, czyli przetwarzania i wchłaniania żywności, przetwarzania substancji w energię i wydalania zużytych substancji.

Jednak proces uzyskania energii i użycie jej w komórce w dalszym ciągu jest rozpatrywany przez współczesną naukę z punktu widzenia praw chemicznych, zgodnie z którymi szybkość zachodzących reakcji nie powinna przekraczać $1 \times 10^6 c^{-1}$. Oznacza to, że w żywej komórce nie ma miejsca na reakcje kwantowe przebiegające z ogromną szybkością. Dodatkowo istnieje wiele przesłanek, że procesy bioutleniania kończą się u nas nie powstaniem kwasu adenozynotrifosforowego [trójfosforan adenozyny] (ATP), tylko powstaniem pola elektromagnetycznego o wysokiej częstotliwości i zjonizowanego promieniowania protonowego.

Oryginalne zdanie na ten temat – z punktu widzenia procesów biofizycznych, zachodzących w organizmie – wypowiedział wielki, z woli Boga, chirurg, Gieorgij Nikołajewicz Pietrakowicz. Jak dowiódł, komórka zdolna jest nawet wytwarzać tlen i energię w procesie utleniania przez wolne rodniki nasyconych kwasów tłuszczowych. Lecz musi do tego otrzymać bodziec energetyczny, który zapewniają erytrocyty we krwi.

Wiadomo, że cząsteczka erytrocytu jest naładowana ujemnie [autorowi chodzi o ujemny ładunek cząsteczki substancji, która znajduje się w błonie komórkowej erytrocytu; ujemny ładunek obserwuje się na powierzchni całej komórki erytrocytu]. Wytwarzany w procesie reakcji bioenergetycznej w błonie erytrocytu elektron przyciąga wchodzący w skład hemoglobiny atom żelaza. Dlatego w krążącej krwi żelazo zawsze jest dwuwartościowe. Pozostała część nagromadzonych elektronów zużyta zostaje na naładowanie całego erytrocytu. Wielkość tych ładunków u różnych erytrocytów jest różna w zależności od ich wieku i stanu. Zadziwiające, że mający średnicę 3–4 razy większą od naczynia włosowatego [kapilary] erytrocyt, mimo wszystko przez nie przechodzi. Jak to się dzieje?

Pod ciśnieniem krwi w kapilarach, niczym w kolejce, gromadzą się erytrocyty (pod mikroskopem wyglądają jak ułożone w słupek monety). Ponieważ posiadają kształt soczewki podwójnie wklęsłej, w przestrzeni między nimi w płucach znajduje się mieszanka powietrzno-tłuszczowa, a w komórkach – błonka tlenowo-tłuszczowa.

Oprócz tego, w warunkach aerobowych (tlenowych) wolne utlenianie nasyconych kwasów tłuszczowych błon komórkowych odbywa się jak zwykłe spalanie, w rezultacie czego powstaje woda, dwutlenek węgla i ciepło. Ponadto w warunkach anaerobowych (przy niewystarczającej ilości tlenu) zachodzi reakcja powstawania ciał ketonowych (aceton, aldehydy) oraz spirytusu (w tym etylowego). Zachodzi również zmydlenie tłuszczów przez substancje czynne powierzchniowo, tak zwane surfaktanty.

I oto podczas powstania w kapilarach ciśnienia, między erytrocytami ma miejsce detonacja – wybuch jak w silniku spalania wewnętrznego. W charakterze świecy występuje tu atom żelaza, przechodzący ze stanu dwuwartościowego w trójwartościowy, a jeśli wziąć pod uwagę, że w skład jednej cząsteczki hemoglobiny wchodzą tylko 4 atomy żelaza, a w jednym erytrocycie jest ich około 400 milionów, możecie sobie wyobrazić, jaka jest siła wybuchu. Nie wyrządza to jednak szkody, ponieważ wszystko zachodzi na poziomie molekularnym, atomowym, i w małej przestrzeni.

Fizycy dowiedli, że na poruszającą się w polu elektromagnetycznym, naładowaną cząsteczkę oddziałuje siła Lorenza, która zakrzywia trajektorię ruchu, w szczególności erytrocytu, rozszerzając przy tym mikrokapilary i zmuszając erytrocyt do przeciskania się przez otwór, który jest od niego 3–4-krotnie mniejszy. Siła ta jest tym większa, im wyższy jest ładunek erytrocytu i im silniejsze pole magnetyczne. Dzięki temu usprawnia się przebieg procesów zachodzących w tkankach i szybciej ulegają likwidacji procesy patologiczne.

Pod wpływem wybuchu, w płucach ma miejsce sterylizacja powietrza, wytrąca się woda i utrzymywana jest temperatura ciała. W momencie zatrzymania się owego „słupka monet" i ściśnięcia erytrocytu w kapilarze w rezultacie wybuchu zachodzi wydzielenie energii elektrycznej i cieplnej, oraz wolnorodnikowe utlenienie produktów przy pomocy tlenu znajdującego się w płynie międzytkankowym. Jednocześnie uwalniają się „okienka" w błonach komórkowych i tam zmierza sód (w związku z różnicą gęstości płynu wewnątrz i na zewnątrz komórki), ciągnąc za sobą tlen, wodę i wszystkie substancje w niej rozpuszczone.

Najważniejsze jednak w tym procesie jest to, że koncentracja tlenu cząsteczkowego i dwutlenku węgla musi mieścić się w granicach wielkości przytoczonych w tabeli. Jeśli tlenu będzie więcej – kosztem zmniejszenia ilości dwutlenku węgla – oczywiście nastąpi skurcz kapilar, co doprowadzi do zachwiania procesu zaopatrywania tkanek we wszystkie niezbędne składniki i odprowadzania odpadów. Tak więc najpierw będą miały miejsce zmiany czynnościowe, a następnie patologiczne.

Ponieważ komórkom praktycznie wiecznie brakuje tlenu, człowiek zaczyna głęboko oddychać. Jednak nadmiar tlenu atmosferycznego nie zawsze jest korzystny. Częściej okazuje się przyczyną powstawania wolnych rodników. Pobudzone niewystarczającą ilością tlenu atomy komórek, wchodząc w reakcje biochemiczne z wolnym tlenem cząsteczkowym, sprzyjają właśnie powstawaniu wolnych rodników, mających na swej orbicie niesparowany elektron.

Wolne rodniki

Wolne rodniki są zawsze obecne w organizmie i ich rola polega na tym, by pochłaniać komórki patologiczne. Lecz ponieważ są one bardzo agresywne, przy zbytniej koncentracji zaczynają niszczyć komórki zdrowe. Podczas głębokiego oddychania w organizmie zwiększa się ponad normę koncentracja tlenu. Wypierając z krwi dwutlenek węgla, nie tylko narusza on równowagę, co doprowadza do skurczu naczyń krwionośnych, będącego przyczyną każdej dolegliwości, ale dodatkowo przyczynia się do powstania jeszcze większej ilości wolnych rodników, co z kolei oddziałuje zgubnie na organizm. Właśnie z tego powodu istnieje w organizmie jeszcze jeden mechanizm związany z tlenem. Jest to **nadtlenek wodoru**, wytwarzany przez komórki układu odpornościowego, oraz ozon. Mechanizm ten, podczas ich rozkładu, wydziela tlen atomowy i wodę. Właśnie tlen atomowy stanowi jeden z najmocniejszych antyoksydantów, usuwających deficyt tlenowy w tkankach. Co nie mniej ważne, niszczy on wszelką patogenną mikroflorę (wirusy, grzyby, bakterie itp.), a także nadmiar wolnych rodników.

Dwutlenek węgla

Jest to drugi po tlenie – pod względem znaczenia – regulator i substrat życia. Dwutlenek węgla stymuluje proces oddychania, sprzyja rozszerzeniu naczyń krwionośnych mózgu, serca, mięśni i innych narządów, uczestniczy w podtrzymywaniu niezbędnej kwasowości krwi, wpływa na intensywność samej wymiany gazowej, zwiększa możliwości rezerwowe organizmu i układu odpornościowego.

Na pierwszy rzut oka wydaje się, że oddychamy we właściwy sposób, ale to nieprawda. W rzeczy samej mamy rozregulowany mechanizm zaopatrywania komórek w tlen, z powodu naruszenia stosunku tlenu do dwutlenku węgla na poziomie komórkowym. Rzecz w tym, że zgodnie z prawem Verigo, przy deficycie dwutlenku węgla w organizmie, tlen tworzy mocne połączenie z hemoglobiną, które zapobiega oddawaniu go tkankom.

Wiadomo, że jedynie 25% tlenu dociera do komórek, a pozostała ilość wraca żyłami do płuc. Dlaczego tak się to odbywa? Problem tkwi w dwutlenku węgla, który powstaje w organizmie w ogromnej ilości (0,4–4 l na minutę), jako jeden z produktów końcowych procesu utleniania (wraz z wodą) substancji odżywczych. Przy tym im większemu obciążeniu fizycznemu poddany jest człowiek, tym więcej dwutlenku węgla się wytwarza. Przy stosunkowym bezruchu i ciągłym stresie, procesy przemiany materii spowalniają, i zmniejsza się ilość produkowanego dwutlenku węgla.

Niezwykłość dwutlenku węgla polega na tym, że przy jego stałej, prawidłowej koncentracji w komórkach, sprzyja on rozszerzeniu kapilar, przy czym więcej tlenu dostaje się do przestrzeni międzykomórkowej, i potem, drogą dyfuzji, do komórek. Należy zwrócić uwagę na to, że każda komórka posiada własny kod genetyczny, w którym zapisany jest program jej działalności i funkcji.

Jeśli stworzyć komórce prawidłowe warunki zaopatrzenia w tlen, wodę i odżywianie, to będzie działać przez określony przez Przyrodę czas. Sztuka polega na tym, by oddychać rzadziej i nie głęboko, a na wydechu robić więcej wstrzymań oddechu, tym samym sprzyjając zachowaniu ilości CO_2 w komórkach na właściwym poziomie, usunięciu skurczu kapilar i normalizacji procesów metabolicznych w tkankach.

Należy zapamiętać również ważną okoliczność: im więcej tlenu dostaje się do organizmu i do krwi, tym gorzej dla niego ze względu na niebezpieczeństwo powstawania związków tlenu. Przyroda dobrze to wymyśliła, dając nam obfitość tlenu, ale należy obchodzić się z nim ostrożnie, ponieważ nadmiar tlenu to zwiększenie ilości wolnych rodników. Na przykład w płucach powinno być dokładnie tyle tlenu, ile znajduje się na wysokości 3000 m nad poziomem morza. To optymalna ilość, której przekroczenie prowadzi do patologii.

Dlaczego na przykład górale długo żyją? Oczywiście czysta ekologicznie żywność, niespieszny tryb życia, ciągła praca na świeżym powietrzu i czysta, świeża woda to ważne czynniki. Najistotniejsze jest jednak to, że na wysokości do 3 km nad poziomem morza, gdzie znajdują się osady górskie, procent zawartości tlenu w powietrzu jest niższy niż na nizinach. I właśnie przy umiarkowanej hipoksji (deficycie tlenu) organizm zaczyna oszczędnie nim gospodarować, komórki znajdują się w stanie oczekiwania i zadowalają się ścisłym limitem, przy prawidłowej koncentracji dwutlenku węgla. Już dawno zauważono, że przebywanie w górach znacznie polepsza stan chorych, szczególnie z dolegliwościami płuc.

Obecnie większość badaczy uważa, że w przebiegu każdej choroby powstają nieprawidłowości w oddychaniu tkanek, przede wszystkim ze względu na głębokość wdechów, ich częstotliwość i nadmierne ciśnienie parcjalne tlenu, co obniża koncentrację dwutlenku węgla. W rezultacie tego procesu włącza się potężny wewnętrzny mechanizm powodujący skurcz, który jedynie na krótki czas daje się zlikwidować za pomocą spazmolityków [leków rozkurczowych]. Naprawdę skuteczną metodą w takim wypadku będzie po prostu wstrzymanie oddechu, co zmniejszy ilość dostarczanego tlenu, i tym samym obniży ilość wypłukiwanego dwutlenku węgla. A wraz ze zwiększeniem jego koncentracji do prawidłowego poziomu, skurcz mija i powraca proces utleniania i redukcji.

W każdym chorym narządzie, z zasady, można znaleźć niedowład włókna nerwowego i skurcz naczyń. Tak więc nie istnieją choroby, które zachodzą bez zakłócenia ukrwienia. Od tego zaczyna się samozatrucie komórki z powodu deficytu tlenu, substancji odżywczych i powolnego wydalania produktów metabolizmu. Innymi słowy – każde zakłócenie pracy kapilar stanowi zasadniczą przyczynę wielu dolegliwości. Oto dlaczego prawidłowy stosunek koncentracji tlenu i dwutlenku węgla odgrywa taką ważna rolę. Wraz ze zmniejszeniem głębokości i częstotliwości oddechu, normalizuje się ilość dwutlenku węgla w organizmie, a tym samym likwiduje się skurcz naczyń krwionośnych, komórki rozluźniają się i zaczynają pracować. Zmniejsza się również ilość zużywanego pokarmu, ponieważ polepsza się proces jego przyswajania na poziomie komórkowym.

O ścisłym związku tlenu z dwutlenkiem węgla można przekonać się przy pomocy testu hipoksycznego, opracowanego przez wybitnego naturopatologa, profesora A.T. Ugułowa. Sens testu polega na tym, że na skutek zbyt małej ilości tlenu dostającego się do mózgu, może dojść do uruchomienia wielu zjawisk, w wyniku których człowiek doświadcza lęków, rozmaitych reakcji neurotycznych, negatywnych wpływów (klątwa, urok), a nawet rozstroju układu nerwowego.

Z początku po dwudziestu przysiadach wywierany jest nacisk na górną część jamy brzusznej pacjenta, w okolicy przepony. Następnie uciska się tętnice szyjne, w rezultacie czego pacjent w ciągu kilku sekund traci przytomność.

Charakterystyczne jest to, że u pacjenta obserwuje się przy tym mimowolne, konwulsyjne ruchy, krzyki, niezwykłe reakcje, czego potem nie pamięta, jako że jego świadomość była wyłączona. W tym czasie jednak, jak w kalejdoskopie, przed oczami pacjenta przemyka całe jego życie, a z podświadomości, gdzie przechowywane są informacje, usuwana jest informacja negatywna, która wpływa na wszystkie procesy życiowe w teraźniejszości (niepowodzenia, lęki, niepewność, wątpliwości, i wiele innych).

Oczywiście zabieg ten może przeprowadzać jedynie lekarz zapoznany z tą metodą. Przeciwwskazania w tym wypadku obejmują chorych na nadciśnienie 2. i 3. stopnia, objawiające się arteriosklerozą i innymi.

Rola dwutlenku węgla jest tak znacząca, albowiem utrzymując jego koncentrację na właściwym fizjologicznie poziomie, można wiele osiągnąć: przerwać wewnętrzny skurcz naczyń krwionośnych, odblokować wszystkie „blokady" wewnętrzne, zlikwidować „drzazgi" w pamięci, i tym samym unormować stan zdrowia i pozbyć się wielu problemów.

Przemiana materii w organizmie oraz jej unormowanie

W PISANIU tego i kolejnych rozdziałów uczestniczył znany biofizyk i jeden z autorów promiennika ultrafioletowego „Helios-1", Iwan Iwanowicz Kondratiew.

Zaburzenia procesów przemiany materii jako początek choroby

Co się dzieje w organizmie przy zaburzeniu procesów przemiany materii, które leżą u podstaw początku choroby. W jakim kierunku zmienia się równowaga kwasowo-zasadowa, która prawidłowo powinna się mieścić w przedziale 7,4±0,15?

Dzięki Słońcu, na skutek oddziaływania dwóch strumieni promieniowania – fotonów i elektronów, na Ziemi pojawiło się życie w dwóch postaciach: roślinność (flora) i zwierzęta (fauna). Różnica polega na tym, że komórki roślinne żyją dzięki fotosyntezie, a zwierzęce – dzięki beta-syntezie, będącej formą procesów jądrowych, lecz z małą wymianą energii i emisją ciepła. Obie te formy syntezy oparte są na zdolności nagrzanych ciał do emitowania głównie fotonów lub elektronów.

Podczas beta-syntezy elektrony, oddziałując na struktury komórkowe, gdzie azot również włącza się w reakcję jądrową, tworzą własny tlen, w tym również atomowy, biorący udział w budowaniu niezbędnych organizmowi: w szczególności kwaśnych aminokwasów, cukrów, białek, tłuszczów itp., które zapewniają prawidłowe działanie komórek, utlenianie i wydalanie produktów odpadowych.

Warto nadmienić, że życie roślinne jest możliwe jedynie w środowisku zasadowym, czyli w tym samym, które samo generuje. Życie zaś zwierzęce przeciwnie – produkuje środowisko kwaśne, i zdolne jest oczywiście istnieć w środowisku kwaśnym. Pojawia się pytanie: jakie środowisko bardziej sprzyja powstaniu chorych komórek? Przecież organizm człowieka, wykorzystując produkty żywnościowe zarówno roślinnego, jak i zwierzęcego pochodzenia stanowi układ, w którym wszystko się przemieszało.

Obecnie jest udowodnione ponad wszelką wątpliwość, że jeśli guz pochodzenia onkologicznego umieści się w środowisku kwaśnym, to rozwija się w dalszym ciągu. Jeśli zaś w środowisku zasadowym – w szybkim tempie obumiera. Oto dlaczego równowaga kwasowo-zasadowa w organizmie, regulowana głównie za pomocą wapnia (neutralizującego nadmierną kwasowość), musi wynosić 7,35-7,45. Jeśli pH jest mniejsze od tego przedziału i zbliża się do 6, ma miejsce znaczne zakwaszenie organizmu, pogłębione dodatkowo przez deficyt tlenu, bez którego rozkwitają zarówno komórki nowotworowe, jak i rozmaite patogenne wirusy i grzyby. W takim stanie człowiek może nawet umrzeć.

Oznacza to, że powinniście konsumować jak najwięcej pokarmów z prawidłowym pH. Jeśli odczyn danego produktu żywnościowego jest niższy, oznacza to, że taki produkt zakwasza organizm i jedynie szkodzi zdrowiu.

Przyjrzyjcie się, jak różnią się pod względem odczynu kwasowo-zasadowego różne artykuły żywnościowe pochodzenia zwierzęcego i roślinnego.

Produkt	pH
Mięso	3,98
Ryba	3,76-5,78
Drób	3,34
Jajka	6,45
Kasze	5,52
Ser	5,92
Białe pieczywo	5,63
Chleb pszenny	4,89
Czarna kawa	5,59
Herbata	4,26
Piwo	6,19
Woda żywa (nie z wodociągu)	9,5
Olej kukurydziany	8,4
Olej sojowy	7,9
Oliwa z oliwek	7,5
Kapusta	7,5
Ziemniaki	7,5

Miód, hurma [Hurma – owoc jedzony po uprzednim zamrożeniu i rozmrożeniu, dzięki czemu zamiast cierpkiego, zyskuje smak słodki].	7,5
Kiełki pszeniczne, dynia, awokado	7,4
Marchew	7,2
Buraki ćwikłowe	7,0
Arbuz	7,0
Sałata	7,0

Jeśli w organizmie brakuje pierwiastków zasadowych, takich jak wapń, krzem i magnez, oraz dużej ilości kwasów organicznych, to równowaga kwasowo-zasadowa zmienia się w stronę kwaśną. Jak wykazał w swych badaniach A.G. Suszański wraz ze współautorami, organizm zakwasza się i alkalizuje przykładowo w 60–80%. Rzecz w tym, że pokarmy pochodzenia zwierzęcego spożywane w przetworzonej formie – gotowane, konserwowane (czyli pozbawione tlenu), źle przeżute, niestrawione przez sok żołądkowy rozcieńczony płynem (przez co traci on stężenie, gdy popijacie pokarm w czasie posiłku albo pijecie kawę czy herbatę bezpośrednio po jedzeniu) – zakwasza organizm, stwarza napięcie w płynnym „taśmociągu", zmniejszając jego przepływowość i wchłanianie nieodzownych dla komórek substancji.

Natomiast w żywności pochodzenia roślinnego znajduje się wiele pierwiastków alkalicznych i kwasów organicznych, które rozkładając się, tworzą słabe kwasy i mocne zasady, oraz wydzielają dodatkową energię (4 kcal). Kwasy rozpadają się dzięki wapniowi, wydzielając dwutlenek węgla i wodę, z pomocą której odprowadzane są odpady oraz nadmiar zużytej wody, co zmniejsza opuchlizny.

Pozostające w organizmie pierwiastki zasadowe w postaci soli potasu, wapnia, sodu i magnezu zmieniają odczyn kwasowo-zasadowy w kierunku zasadowym. A zatem nawet kwaśna żywność pochodzenia roślinnego, jaką na przykład doradza B.W. Bołotow, zawsze sprzyja alkalizacji organizmu, a każda żywność pochodzenia zwierzęcego zakwasza go, czym sprzyja pojawieniu się różnych zaburzeń i chorób.

Nie na darmo Przyroda mądrze zadysponowała, że 3/4 wszystkich artykułów spożywczych posiada odczyn zasadowy, a tylko 1/4 kwaśny, czego wszyscy powinniśmy się trzymać w swoim jadłospisie, jeśli pragniemy być zdrowi. Jest to szczególnie ważne dla osób w podeszłym wieku.

Koniecznie należy wziąć przy tym pod uwagę, że woda ma ogromne znaczenie dla zachowania równowagi kwasowo-zasadowej na właściwym poziomie fizjologicznym. Przecież organizm to swego rodzaju kwasowo-zasadowy akumulator. Tak więc woda naładowana elektronami, a mikroelementy rozpuszczone w płynie między- i wewnątrzkomórkowym transportują elektrony (kwanty energii) od komórki do komórki, dzięki czemu żyjemy.

Organizm noworodka jest nasycony wodą w 90%, i dopiero potem, z wiekiem, ilość wody w organizmie zmniejsza się do 70% i bardziej, co stwarza w organizmie określone warunki dla chorób układu sercowo-naczyniowego i zaburzenia przemiany materii. Oto dlaczego, tracąc w ciągu doby do 1,5–2 l płynu, należy koniecznie uzupełnić tę ilość również przy pomocy pokarmu roślinnego, w którym zawartej jest dużo strukturalnej (żywej) wody i błonnika, wchłaniających i odprowadzających przetworzone substancje.

Rozpatrzmy na przykładzie spożycia alkoholu pojawienie się bólu głowy. Czterdziestoprocentowa wódka posiada odczyn zasadowy 7,4. Alkohol uderza do głowy i wywołuje przyjemne wrażenie, ponieważ zakwaszone środowisko wewnętrzne otrzymuje porcję zasady o praktycznie jednakowym odczynie jak krew. Po jakimś czasie spirytus w organizmie przeobraża się w kwas octowy, którego pH wynosi 2,9, co negatywnie oddziałuje na mózg, przez co pojawia się ból głowy.

Należy powiedzieć, że każdy ból głowy związany jest z zakwaszeniem płynu, w tym tego, który znajduje się w mózgu, do którego właściwej pracy zużywanych jest 20% wszystkich płynów w organizmie. Dlatego by poradzić sobie z bólem głowy nie trzeba łykać tabletek, a raczej wypić niewielką ilość osolonej wody (dlaczego osolonej, dowiecie się później).

Jeśli pojmować organizm z punktu widzenia równowagi kwasowo-zasadowej, każde zachwianie tej równowagi w stronę kwasowości należy rozpatrywać jako początek gnicia, zakwaszenia i pojawienia się chorób. A rola tlenu w tych procesach jest ogromna.

Rola nadtlenku wodoru w organizmie

Z obszernej poczty zacytuję dwa listy.

Droga redakcjo gazety „Zdrowy Styl Życia"!

Profesor I.P. Nieumywakin zaleca przyjmowanie nadtlenku wodoru wewnętrznie, a doktor Duk zdecydowanie się temu sprzeciwia (jako chemik przychylam się do jego argumentacji). Cóż więc robić? Pić nadtlenek czy nie pić? Mam wielką prośbę do profesora I.P. Nieumywakina, by wyjaśnił tę sprzeczność. Możliwe, że dmucham na zimne, ale znam przypadki niepomyślnych rezultatów stosowania rad ze „Zdrowego Stylu Życia". Być może istnieją nieznane nam niuanse stosowania tej metody przywracania zdrowia?

W.W. Mitina

Szanowny Iwanie Pawłowiczu!

Niepokoję Pana z klinicznego szpitala wojewódzkiego w mieście N. Jeden nasz pacjent cierpi na gruczolaka żołądka o małym stopniu zróżnicowania w IV stadium rozwoju. Leżał w Moskiewskim Centrum Onkologicznym, gdzie stosowano odpowiednie leczenie i skąd został wypisany z rokowaniem przeżycia jeszcze jednego miesiąca, o czym poinformowano jego najbliższych. W naszej klinice poddano chorego dwóm cyklom zabiegów endolimfatycznego wprowadzenia Fluorouracilu i Rondoleukiny. Do tego kompleksu leczniczego dodaliśmy polecaną przez Pana metodę dożylnego wprowadzania nadtlenku wodoru o stężeniu 0,003%, w połączeniu z napromieniowaniem krwi ultrafioletem. Nadtlenek wodoru aplikowaliśmy codziennie w ilości 200 działek roztworu fizjologicznego nr 10 i przeprowadzaliśmy naświetlanie krwi za pomocą aparatu „Izolda", ponieważ nie mamy skonstruowanego przez Pana urządzenia „Helios-1".

Od przeprowadzonego przez nas leczenia upłynęło już 11 miesięcy. Pacjent żyje i pracuje. Zadziwił nas i zainteresował ten przypadek. Niestety, spotykaliśmy się z publikacjami o zastosowaniu nadtlenku wodoru w onkologii jedynie w literaturze popularnej oraz w Pańskich artykułach i wywiadach w czasopiśmie „Zdrowy Styl Życia". Jeśli jest to możliwe, czy mógłby Pan dostarczyć bardziej szczegółowych informacji dotyczących zastosowania nadtlenku wodoru? Czy istnieją artykuły medyczne na ten temat?

Szanowni koledzy! Jestem zmuszony was zmartwić: oficjalna medycyna robi wszystko, by nie widzieć i nie słyszeć tego, że są jakieś alternatywne środki i metody leczenia, w tym również leczenia chorych na raka. Przecież należałoby wówczas zrezygnować z wielu zatwierdzonych i nie tylko nieperspektywicznych, lecz wręcz szkodliwych metod leczenia, do jakich należy w wypadku onkologii na przykład chemio- i radioterapia. Wiktorii Wjaczysławownie (autorce pierwszego z przytoczonych listów) można rzec, że powinna dawno zrozumieć, że każdy człowiek jest inny. Jednym pomaga to, a innym co innego, o czym redaktor naczelny „ZSŻ" A.M. Korszunow nie przestaje przypominać swoim czytelnikom. Uniwersalnego środka leczenia dla wszystkich jak nie było, tak i nie ma... nie licząc nadtlenku wodoru, szczególnie w połączeniu z naświetlaniem krwi ultrafioletem za pomocą urządzenia zmodyfikowanego przeze mnie osobiście, o czym będzie dalej mowa.

Przyroda zadbała, by w naszym organizmie istniał mechanizm obronny, nazywany układem immunologicznym. Jego komórki – leukocyty i granulocyty (odmiana leukocytów)

– wytwarzają nadtlenek wodoru, który w trakcie rozkładu produkuje tlen atomowy, bez którego nie zachodzi ani jedna reakcja bioenergetyczna. Jednocześnie, będąc bardzo mocnym utleniaczem, niszczy on wszelką patogenną mikroflorę – niezależnie od tego, czy są to grzyby, wirusy czy bakterie. Gdyby ów mechanizm nie istniał, wszystkie te pasożyty dawno by nas najzwyczajniej w świecie zjadły.

Należy zaznaczyć, że ¾ komórek układu odpornościowego znajduje się w przewodzie pokarmowym, a ¼ w tkance podskórnej, gdzie umiejscowiony jest układ limfatyczny. Wielu z Was wie, że komórka zaopatruje się w krew, do której zmierzają substancje odżywcze z jelit – tego skomplikowanego mechanizmu przetwarzania i syntezy niezbędnych dla organizmu substancji, a także usuwania odpadów.

Lecz mało kto wie, że jeśli jelita są zanieczyszczone (co ma miejsce praktycznie u wszystkich chorych, i nie tylko) to zanieczyszcza się również krew, a następnie komórki całego organizmu. Przy czym „duszące się" w tym zanieczyszczonym środowisku komórki układu odpornościowego nie tylko nie są w stanie uwolnić organizmu od nie w pełni utlenionych produktów toksycznych, ale i wyprodukować odpowiedniej ilości nadtlenku wodoru, w celu obrony przed patogenną mikroflorą. Co zatem dzieje się w układzie pokarmowym, od którego w pełnym sensie tego słowa zależy całe nasze życie?

By całościowo ocenić jakość pracy naszego układu pokarmowego, istnieje prosty test:

Przyjmij 1–2 łyżki stołowe soku z buraka ćwikłowego (niech sok wcześniej postoi 1,5–2 godziny). Jeśli potem uryna zabarwi się na kolor buraczkowy, oznacza to, że Twoje jelita i wątroba przestały wypełniać swoje funkcje detoksykacyjne, i produkty rozpadu – toksyny – dostają się do krwi i nerek, zatruwając cały organizm.

Moje doświadczenie w zakresie medycyny ludowej, wynoszące ponad dwadzieścia pięć lat, pozwala wysnuć wniosek, że organizm to doskonały, samoregulujący się energoinformacyjny układ, w którym wszystko jest wzajemnie ze sobą powiązane i zależne od siebie, a rezerwa wytrzymałości jest zawsze większa od jakiegokolwiek czynnika uszkadzającego.

Główną przyczyną praktycznie wszystkich chorób jest zakłócenie pracy układu pokarmowego, albowiem jest to skomplikowany „zakład produkcyjny" - rozdrabniający, przetwarzający, syntezujący i wchłaniający niezbędne dla organizmu substancje, a także wydalający produkty metabolizmu. I w każdym dziale tego „zakładu pracy" (usta, żołądek, itd.) proces przetwarzania pokarmu powinien być doprowadzony do końca.

Podsumujmy więc:

Układ pokarmowy to miejsce rozmieszczenia:

- ¾ wszystkich elementów układu odpornościowego, odpowiedzialnego za „utrzymywanie porządku" w organizmie;
- Ponad 20 własnych hormonów, od których zależy praca całego układu hormonalnego;
- „Mózgu" brzusznego, regulującego całą skomplikowaną pracę układu pokarmowego i jego związek wzajemny z mózgiem;
- Ponad 500 rodzajów bakterii, trawiących, syntezujących substancje aktywne biologicznie i rozkładających szkodliwe.

Tak więc układ pokarmowy to swojego rodzaju bryła korzeniowa, od której stanu zależy każdy proces zachodzący w organizmie.

Zanieczyszczenia organizmu to:

- Konserwowana, rafinowana, smażona żywność, wędliny, słodycze, do strawienia których potrzeba bardzo wiele tlenu, przez co organizm stale odczuwa niedotlenienie (na przykład złośliwe guzy rozwijają się wyłącznie w środowisku beztlenowym);
- Źle przeżuty pokarm, rozcieńczony jakimkolwiek płynem w trakcie posiłku lub bezpośrednio po nim (zupa to posiłek), obniżenie poziomu soków trawiennych w żołądku, wątrobie i trzustce nie pozwala im strawić pokarmu do końca, w rezultacie czego zaczyna on gnić i zakwasza się, co także stanowi przyczynę chorób.

Zakłócenie pracy układu pokarmowego to:

- Osłabienie układu immunologicznego, hormonalnego, enzymatycznego i innych układów;
- Zastąpienie właściwej mikroflory patologiczną (dysbakterioza, zapalenie błony śluzowej żołądka, zaparcia, itd.);
- Zmiana równowagi elektrolitowej (witamin, mikro- i makroelementów), co prowadzi do zakłócenia procesów metabolicznych (artretyzm, osteochondroza) i krążenia krwi (arterioskleroza, zawał serca, udar mózgu itd.);
- Przemieszczenie i ściśnięcie wszystkich narządów klatki piersiowej, okolicy jamy brzusznej i miednicy, co prowadzi do zakłóceń w ich funkcjonowaniu;
- Zjawiska obstrukcyjne w każdym odcinku jelita grubego, co prowadzi do procesów patologicznych w każdym narządzie odpowiadającym określonemu odcinkowi.

Nie unormowując żywienia, nie pozbawiając organizmu – szczególnie jelita grubego i wątroby – zanieczyszczeń, nie można wyleczyć żadnej choroby. Dzięki oczyszczeniu organizmu i mądremu, konsekwentnemu stosunkowi do własnego zdrowia, doprowadzamy wszystkie swoje narządy do współbrzmienia z częstotliwością daną nam przez Przyrodę. Tym samym odradza się endoekologiczny stan lub innymi słowy – likwiduje się zakłócenia równowagi w połączeniach energoinformacyjnych zarówno wewnątrz organizmu, jak i ze środowiskiem zewnętrznym. **Nie ma innej drogi.**

Teraz pomówmy bezpośrednio o zadziwiającej właściwości działania układu odpornościowego, danego naszemu organizmowi jako jeden z najsilniejszych środków walki z rozmaitymi środowiskami patogennymi, niezależnie od ich charakteru – o tworzeniu przez komórki układu immunologicznego, przez leukocyty i granulocyty (będące odmianą leukocytów), ozonu i nadtlenku wodoru.

Ostatnimi czasy u nas i za granicą wzrosła ilość publikacji na temat zastosowania ozonu, promieniowania ultrafioletowego i, oczywiście, nadtlenku wodoru. Wiele publikacji, a także materiały konferencji poruszających te zagadnienia pokazują powtarzalność końcowych rezultatów, niezależnie od zastosowanej metody oraz rodzaju choroby. We wszystkich ukazanych przypadkach najważniejszym czynnikiem leczniczym jest zdaniem autorów tlen, a mechanizm jego działania sprowadza się do oddziaływania na samą chorobę.

Szczególnie popularna jest obecnie tak zwana ozonoterapia, która – jak już nadmieniłem – nie istnieje w czystej postaci. Ozon uzyskuje się w rezultacie promieniowania ultrafioletowego i wyładowań elektrycznych w powietrzu lub tlenie. Badania dowiodły, że struktura cząsteczek ozonu stanowi trójkąt równoramienny z odległością jądrową α(00) = 1,26 angstremów i kątem przy wierzchołku 127°. Te dane i zauważalna biegunowość cząsteczki ozonu (długość dipolu 0,10Å) całkowicie wykluczają stosowaną wcześniej pierścieniową strukturę O_3, w której wszystkie atomy tlenu były jednakowe i dwuwartościowe.

W związku z tym, jeśli rozpatrywać jakiekolwiek związki zawierające tlen, molekularny jon O_2^- charakteryzuje się odległością jądrową α(00) = 1,28 angstremów, a zdolność neutralnej molekuły do przyłączania elektronów ocenia się na 21 kcal/mol (W.I. Kasatkin, 1945).

Wszystkie nadtlenki można uznać za rodniki HO_2 lub łatwo rozpadających się na rodniki wielotlenków wodoru H-O-O-O-O-H. Istnienie nietrwałych HO_2 i H_2O_4 było dowiedzione przez A.N. Bacha jeszcze w 1897 roku. Analogiczną budowę mają ozonidy. Zdolność molekuły ozonu do przyłączania elektronów równa jest 77 kcal/mol, czyli w przybliżeniu trzykrotnie większa niż w przypadku molekuły tlenu. W ten sposób można wyjaśnić silniejsze niż w przypadku tlenu właściwości utleniające ozonu.

Jednak wielka wartość α, mała odległość jądrowa i obecność słabo wyrażonej biegunowości molekuły O_3 – wszystko to mówi o jej elektrolitycznej strukturze typu $\ddot{\underset{..}{O}} = \ddot{\underset{..}{O}} = \ddot{\underset{..}{O}}$ z czterowartościowym atomem tlenu w centrum. Powstanie takiej wartościowości wymaga wykorzystania przez dwa elektrony wysokiego poziomu energetycznego 3S, co dobrze współgra z endotermicznością ozonu i wysoką aktywnością atomu i cząsteczki tlenu, które powstają podczas rozpadu ozonu.

Uznaję za ważne kolejny raz podkreślić, że wszystkie trzy sposoby uzyskania tlenu (promieniowanie ultrafioletowe, nadtlenek wodoru, ozon) mają ten sam koniec, a mianowicie: powstanie tlenu atomowego, który jest fizjologicznym stymulatorem procesów komórkowych, wzmacnia system immunologiczny, i który dodatkowo sam wytwarza nadtlenek wodoru.

Sam w sobie ozon jest gazem trującym. Szybko rozkłada się w powietrzu i płynie, wydzielając przy tym tlen atomowy z wyższym potencjałem utleniająco-redukcyjnym (redox, ORP), który stanowi mocny utleniacz, na czym oparto leczenie. W taki sposób sam ozon nigdy nie dociera do komórek, tylko zaopatruje organizm w aktywniejszą formę tlenu. Podczas chorób mechanizm ten ulega zakłóceniu, ponieważ cały aktywny tlen zostaje zużyty na utlenienie toksyn i lekarstw chemicznych, przez co organizm wchodzi w jeszcze bardziej hipoksyczny stan [charakteryzujący się niedotlenieniem], i dlatego nie może wydobyć się z chorób.

Podczas napromieniowania krwi (w której zawarty jest tlen) ultrafioletem, zachodzą reakcje fotochemiczne, analogiczne do reakcji zachodzących podczas zwykłej fotosyntezy, w rezultacie czego powstaje ozon, który momentalnie rozpada się (tak jak i woda utleniona w organizmie), w rezultacie czego wydziela się tlen atomowy, który z kolei wzmacnia działanie tlenu cząsteczkowego, również przekształcając go w atomowy.

Oprócz tego, jak wykazały badania, nasze komórki, podobnie jak wszystkie komórki świata roślinnego, używają promieniowania ultrafioletowego o określonym zakresie, które właśnie wykorzystujemy w urządzeniu „Helios-1".

W ten sposób promieniowanie ultrafioletowe zaproponowane przez nas to z jednej strony uzupełnienie brakującej w organizmie energii, a z drugiej – produkcja ozonu z wytworzeniem tlenu atomowego, którego zawsze – a szczególnie podczas choroby – brakuje.

Budowę cząsteczki ozonu O_3 można opisać za pomocą czterech wzorów izometrycznych:

$$O{=}O^{+}{-}O^{-} \longleftrightarrow {}^{-}O{-}O^{+}{=}O \longleftrightarrow {}^{+}O{-}O{-}O^{-} \longleftrightarrow {}^{-}O{-}O{-}O^{+}$$

Ozon otrzymujemy w rezultacie promieniowania UV i wyładowania elektrycznego:

$$O_2 + O \leftrightarrow O_3 + 103{,}3\ kJ/mol$$

Zgodnie ze wzorem, ozon wchodzi w reakcję jako dipol i otrzymujemy:

$$O_3 + O \leftrightarrows 2O_2 + 390\ kJ/mol$$

Równanie sumaryczne syntezy ozonu z tlenem z wydzieleniem produktu pośredniego (tlenu atomowego):

$$3O_2 \leftrightarrows 2O_3 - 287{,}28\ kJ/mol$$

W ten sposób efekt cieplny przy powstawaniu mola ozonu z tlenu daje 287,28:2 = 143,64 kJ [kilodżula].

Człowiek odczuwa za pomocą zmysłu węchu stężenie ozonu równe 0,01mg/l, a w powietrzu pomieszczeń, w których pracują ludzie, dopuszczalna zawartość ozonu to 0,2 mg/m^3.

Właściwości fizyczne tlenu molekularnego i ozonu	**O_2**	**O_3**
Temperatura przechodzenia w stan płynny	-219°C	-250°C
Temperatura wrzenia	-183°C	-111°C
Rozpuszczalność w wodzie	Jedna część na 20 części przy 0°C i trzy części przy 20°C	Znacznie więcej niż tlenu

Jak widać, aktywność ozonu jest o wiele większa.

Schemat działania (rozpadu, rozpuszczania) tlenu molekularnego i ozonu	
Tlen molekularny	Ozon
O_2 ↓ $2H_2O$ ↓ $H_2O_2 + H_2$ (2H) ↙ ↘ H_2O O	O_3 ↙ ↘ O_2 O ↓ H_2O ↓ $H_2O_2 + H_2$(2H) ↙ ↘ H_2O O

Jak już wiecie, tlen i woda w odpowiednich proporcjach i warunkach temperaturowych miliony lat temu uformowały środowisko, w którym zrodziło się życie biologiczne. Według A.P. Winogradowa 99,4% masy materii ożywionej składa się z następujących pierwiastków: O_2 – 70%, C – 18%, H – 10%, Ca – 0,5%, K – 0,3%, P – 0,07%. Chociaż ludzkości od dawna znana jest rola tlenu w przyrodzie, w tym i dla zdrowia człowieka, to jednak mechanizm jego działania do dziś nie został w pełni wyjaśniony. Podczas rozmowy na temat tlenu zawsze mowa o tlenie molekularnym [cząsteczkowym], chociaż źródłem życia jest tlen atomowy. Cała medycyna i farmakologia wiedzą i na tym opierają swą działalność, że bez tlenu nie ma życia. Przemilczają natomiast fakt, dlaczego i jak działa tlen, którego cząsteczki są neutralne. A przecież żadne procesy w organizmie nie zachodzą bez przeniesienia wolnych elektronów, ponieważ wszystkie te reakcje zachodzą na poziomie komórkowym, co jest już sferą biofizyki. Razem z biofizykiem I.I. Kondratiewem spróbowaliśmy odtworzyć *status quo* tlenu atomowego oraz ustalić mechanizmy jego działania w organizmie. Nadtlenek wodoru i ozon to próba wspomożenia naturalnego mechanizmu, w który organizm jest wyposażony, a bez którego po prostu nie może istnieć.

A jeśli tak, to co powinna uczynić medycyna i farmakologia? Wielotomowe folianty opisujące choroby, zestaw lekarstw i środków chemicznych będą po prostu zbędne, ponieważ wszystko polega na tym, by w obfitości zapewnić komórkom tlen atomowy i drugą, nie mniej istotną substancję – wodę. Woda to najbardziej pojemny energetycznie płyn, który może maksymalnie skoncentrować energię fal elektronowych i zawiera wszystkie rodzaje tlenu atomowego. Dlatego sama stanowi środek leczniczy.

Woda zawiera 89% tlenu, któremu nadaje się największe znaczenie. Dlatego też napisałem osobną książkę o wodzie: „Woda jako życie i zdrowie: mity i prawda", w której wyjaśnione jest znaczenie płynnego „taśmociągu" w organizmie, znaczenie wody jako środka zapewniającego komórkom energię, tlen i niezbędne substancje, oraz usuwającego produkty metabolizmu. Dotyczy to szczególnie ludzi chorych, osłabionych i starszych, którzy przestają odczuwać potrzebę uzupełniania wody, co samo w sobie już stanowi chorobę.

Bez nadtlenku wodoru praktycznie nic się w Przyrodzie nie dzieje. Leży on u podstaw wszystkich procesów fizjologicznych, biochemicznych i energetycznych, zachodzących w organizmie.

Na przykład siara matki i kobiece mleko zawierają wiele nadtlenku wodoru, co służy uruchomieniu układu odpornościowego dziecka. Również działanie sławnego interferonu [kilka rodzajów białek produkowanych przez leukocyty, fibroblasty i keranocyty organizmu ludzi i zwierząt], opiera się na tym, że stymuluje on produkcję nadtlenku wodoru przez komórki układu odpornościowego.

Nadtlenek wodoru jest silnym regulatorem realizowanych przez komórki dostaw do mózgu mikro- i makroelementów oraz wapnia. Wpływa również na lepsze ich przyswajanie i wspomaga proces oczyszczania z odpadów. Utlenia substancje toksyczne, które dostały się do organizmu z zewnątrz, ale również i te, które powstały wewnątrz organizmu, co swoją drogą poprawia pracę tak zwanych prostoglandyn, będących bardzo ważną frakcją całego układu immunologicznego.

Obecnie dowiedziono, że laktobakterie bytujące w jelicie grubym są również zdolne do wytwarzania nadtlenku wodoru. Rzecz w tym, że wszystkie mikroorganizmy chorobotwórcze, jak również komórki rakowe, mogą istnieć wyłącznie pod nieobecność tlenu. Dotyczy to nie tylko przewodu pokarmowego, ale i narządów miednicy małej, żeńskich, okolic męskich narządów rozrodczych itd. Nadtlenek wodoru powstaje w następujący sposób:

$$2H_2O+O_2 = 2H_2O_2$$

Rozkładając się, nadtlenek wodoru tworzy wodę i tlen atomowy:

$$H2O2 = H2O + 'O'.$$

Jednakże po pierwszym stadium rozpadu nadtlenku wodoru wydziela się tlen atomowy, który jest ogniwem „uderzeniowym" tlenu podczas wszystkich procesów biochemicznych i energetycznych. Właśnie tlen atomowy określa wszystkie niezbędne parametry życiowe organizmu, a dokładniej – utrzymuje układ immunologiczny na poziomie kompleksowego zarządzania wszystkimi procesami w celu stworzenia należytego porządku fizjologicznego w organizmie, co czyni go zdrowym.

Podczas załamania się tego mechanizmu, przy deficycie tlenu, którego jak wiecie wciąż nie starcza, a szczególnie przy deficycie tlenu alotropowego (innych postaci, w szczególności nadtlenku wodoru) pojawiają się różne dolegliwości, prowadzące nawet do śmierci organizmu.

W takich przypadkach dobrym wsparciem dla przywrócenia równowagi aktywnego tlenu i stymulacji procesów utleniania, a szczególnie jego wydzielania, jest nadtlenek wodoru. To mogący zdziałać cuda środek wymyślony przez Przyrodę w celu chronienia organizmu nawet wówczas, gdy my czegoś mu nie dostarczamy albo po prostu nie zastanawiamy się, jak tam wewnątrz działa skomplikowany mechanizm zapewniający nam byt.

Należy powiedzieć, że w reakcjach biochemicznych i energetycznych tlen w organizmie uczestniczy w postaci kilku rodzajów rodników: tak zwanych wolnych rodników, u których na orbicie znajduje się jeden elektron bez pary, u tlenu atomowego – dwa, a u cząsteczkowego – już cztery. Oprócz tego różnica pomiędzy nimi polega na tym, że do powstania wolnych rodników potrzeba o wiele mniej czasu i energii, nieco większej u atomowego i największej u molekularnego, co przedstawia się w następujący sposób:

Wolne rodniki – **O'**

Tlen cząsteczkowy – $\mathbf{O_2}$

Tlen atomowy – **'O'**

Ozon – $\mathbf{O_3}$

Wielu uczonych (na przykład O.J. Ochłobystin w książce „Życie i śmierć idei chemicznych", Moskwa 1989), nie rozumiejąc różnicy we właściwościach tlenu, który znajduje się w wolnych rodnikach, tlenie molekularnym i atomowym, i nie zważając na to, że nadtlenek wodoru został już dawno zbadany pod względem chemicznym (w tym jego znaczenie dla organizmu) zauważają, że „nadtlenek wodoru działa podobnie do wolnych rodników, wywołuje w DNA młodych zwierząt takie same zmiany jak starzenie się". Wiadomo jednak, że wolne rodniki – a jest nim tlen z jednym elektronem bez pary – są dość agresywne i w normalnych warunkach zajmują się „pożeraniem" uszkodzonych, chorych komórek, choć nie gardzą również zdrowymi.

Rola układu immunologicznego polega również na tym, by pilnować ilości wolnych rodników, bo im jest ich więcej, tym większe prawdopodobieństwo powstania różnych chorób. Badania wykazały na przykład, że w komórkach rakowych lub napromieniowanych znajduje się kilka razy więcej wolnych rodników niż w zdrowych. Zatem właśnie komórki układu immunologicznego, do których należą limfocyty i granulocyty, zajmują się niszczeniem zbędnych wolnych rodników.

Rola wolnych rodników w zakłócaniu wszystkich funkcji życiowych organizmu jest wystarczająco dowiedziona. Z wiekiem funkcje życiowe gasną, a koncentracja wolnych rodników się zwiększa, czemu sprzyjają takie czynniki jak: stres, promieniowanie (czyż nie to stanowi przyczynę powstawania przerzutów w zachorowaniach nowotworowych, zarówno po radioterapii, jak i po interwencji chirurgicznej?), choroby przewlekłe, różne toksyny, nagłe zmiany temperatury itd. W związku z tym wzrasta rola antyoksydantów, które właśnie są „pułapkami" dla wolnych rodników.

Należy mieć na uwadze fakt, że we wdychanym dymie tytoniowym wolnych rodników jest bardzo wiele, a w wydychanym – nie ma ich prawie wcale. Gdzie się podziały? Czy nie tutaj skrywa się jedna z przyczyn „przyspieszonego" starzenia się organizmu? Należy zatem rozumieć, że zawierające tlen wolne rodniki różnią się w swoim działaniu od tlenu cząsteczkowego i atomowego.

Amerykański badacz Shlegel dowiódł niepodważalnie, że nadtlenek wodoru jest źródłem tlenu atomowego. W tym celu umieścił określoną ilość mikroorganizmów w 100% kwasie azotowym, gdzie oczywiście zginęły. W innym naczyniu, do którego dodany był nadtlenek wodoru, mikroorganizmy nie tylko nie zginęły, ale zachowywały się jak w naturalnych warunkach.

W sensie chemicznym mechanizm działania tlenu atomowego w organizmie nie jest taki prosty. Przytoczone reakcje zachodzą w różnym tempie i z różną ilością wydzielanego ciepła. Wszystkie one zachodzą w komórce przez tworzenie związków nadtlenkowych, atomowego i molekularnego tlenu i wolnych rodników, z wydzieleniem energii w postaci ciepła w celu utrzymania temperatury ciała 36,6°C, „zaprowadzenia porządku" i regulacji procesu podziału komórek, a także stworzenia pola energoinformacyjnego (biopola).

Mówiąc obrazowo: każda komórka stanowi „reaktor jądrowy", dostarczający energii procesom komórkowym i dający życie całemu organizmowi.

Jak unormować przemianę materii w organizmie i co należy w tym celu robić? Prawdopodobnie by odróżnić człowieka od całego świata zwierząt, Najwyższy dał mu określoną przewagę, stwarzając go na „swój obraz i podobieństwo", stawiając w pozycji wyprostowanej, przez co jakby wznosząc ponad Przyrodę.

Z drugiej strony człowiek doświadcza pewnych niedogodności, posiadając bowiem tylko dwa punkty oparcia, musi wciąż napinać układ mięśniowy i sercowo-naczyniowy w celu zachowania organizmu w należytym stanie. Jak wiecie zwierzętom mającym cztery – a stonogi nawet więcej – punktów oparcia, zasadniczo obce jest pojęcie osteochondrozy.

Tylko pomyślcie: człowiek, w odróżnieniu od całego zwierzęcego świata, w którym zaraz po urodzeniu zaczyna się chodzić czy też pływać, najpierw rok lub półtora raczkuje, potem stopniowo staje na nogi, choć trzecią część dalszego życia spędzi w pozycji horyzontalnej. O ile w dzieciństwie i młodości człowiek dużo się porusza, biega, to z wiekiem jego zapał gaśnie, ruchliwość ustaje, mięśnie słabną i nie mogą już utrzymać ciała w pozycji pionowej, a człowiek choruje. Dlaczego tak się dzieje?

Jeśli się głębiej zastanowić, to nawet lekarze nie wiedzą, gdzie znajduje się prawdziwe serce człowieka. Przecież serce to swego rodzaju rozdzielacz, pojemniczek rozprowadzający i przepompowujący krew do arterii. Układ naczyniowy (arterie, żyły, kapilary) człowieka, który zapewnia komórkom to, co niezbędne do prawidłowej pracy oraz wydala zanieczyszczenia, musi bez przerwy pracować, czyli pompować płyny.

W odróżnieniu od pomp technicznych, w działaniu których nie występuje obieg zamknięty, u człowieka arterie są połączone z żyłami z dwóch końców: jeden biegnie do serca, a drugi do kapilar. Okazuje się, że pompą pompującą krew jest nie serce, lecz kapilary.

Ponad sto lat temu rosyjscy uczeni I. Szczełkow i T. Zaller dokonali odkrycia, że podczas pracy krążenie krwi w mięśniach szkieletowych wzmaga się 60–80-krotnie, a w tym czasie w mózgu i przewodzie pokarmowym – tylko 8–10 razy. Tak wielkie zapotrzebowanie mięśni na krew zaczęło być oceniane jako obciążenie dla serca. Z praw fizyki wiadomo, że nadmierne obciążenie – na przykład silnika – prowadzi do jego szybkiego zużycia. Stąd wysnuto wniosek, że w chorobach serca i naczyń nieodzowne jest zwolnienie tempa życia. Jednocześnie, jak pokazała praktyka, ci chorzy, którzy nie prowadzili zalecanego, oszczędnego pod względem aktywności fizycznej stylu życia, szybciej wracali do zdrowia. O co w tym chodzi?

W naszych czasach wykazano, że mięśnie szkieletowe są zbudowane z włókien mięśniowych, które kurczą się z określoną częstotliwością, oddziałując na rozmieszczone w pobliżu naczynia, w szczególności na ich końcowe rozwidlenia – kapilary, które są rzeczywistą pompą na styku pomiędzy sercem a żyłami, i pracują 2–3 razy ciężej niż samo serce. A ponieważ mięśni w organizmie człowieka jest ponad pięćset, ich funkcja ssąco-tłocząca jest ogromna. Dlatego została nazwana **sercem peryferyjnym**.

Włączając do energicznej pracy mięśnie, peryferyjne serce (PS) zmusza jednocześnie do działania mózg. U zwierząt, które były poddane obciążeniom fizycznym, w mózgu zaobserwowano bardziej rozwiniętą sieć naczyń krwionośnych i gęstsze unerwienie, niż u znajdujących się w bezruchu.

Elektrofizjologiczne badania, przeprowadzone na starszych ludziach potwierdziły, że u uprawiających sport, biegi czy trucht aktywność fal mózgowych była taka sama jak u młodych ludzi. Innymi słowy – trening fizyczny uzdrawia nie tylko ciało, ale i mózg. Jest to dodatkowym dowodem wzajemnego powiązania i współzależności wszystkich narządów i układów w organizmie. Kryją się tu nieograniczone możliwości nie tylko na drodze profilaktyki, ale i leczenia chorób.

Na przykład profesor A.I. Arynczyn przeprowadził zachwycający w swej prostocie eksperyment: odizolował mięsień łydki od organizmu, zamknął go w sztucznym krwiobiegu, gdzie pompował on krew. Udowodnione zostało, że o ile serce jest w stanie tłoczyć krew z ciśnieniem 120 mm słupa rtęci, to mięsień może robić to z ciśnieniem 200 – 250 mm słupa rtęci i większym. Najważniejsze, że stan tkanki mięśniowej, niezależnie od wieku, można trenować. Trzeba tylko robić to stopniowo.

Jak już było powiedziane, jedną z ważnych przyczyn pogłębiających rozwój chorób jest ograniczenie ruchu i spoczynek, zalecane pacjentom przez lekarzy w czasie leczenia syntetycznymi środkami farmakologicznymi. Okazuje się, że choremu organizmowi ruch, jak prawidłowo mawiał N.M. Amosow, jest potrzebny dziesiątki razy bardziej niż zdrowemu. Jest to szczególnie ważne w chorobach układu ruchu.

Trening mięśni i więzadeł to nie tylko wsparcie dla serca, ale i dla organów, kręgów i połączeń, które przy tym biorą na siebie część funkcji, zabezpieczając przed nadmiernymi obciążeniami statycznymi i dynamicznymi, oraz przed gwałtownymi ruchami.

Podczas ćwiczeń fizycznych odbywa się masaż mięśni, co nie tylko poprawia ich ukrwienie, ale, co niezmiernie ważne, odżywia kości, gdyż te ostatnie nie posiadają własnych naczyń, a co za tym idzie, dzięki temu dłużej nie tracą one gęstości i nie starzeją się. Wychodzi więc na to, że leczą się same.

Trzeba też wiedzieć, że podczas ruchu z powierzchni stawów złuszcza się nabłonek, przecierają się nacieki z kwasu moczowego, zamieniając się w maź, która normalizuje pracę stawów. Potwierdza się tutaj wręcz książkowo podstawowa zasada życia: czynność rodzi organ. Tylko nie wolno się lenić, bo w ruchu jest nasze zdrowie.

Zauważono, że im słabsze mięśnie, tym ciężej znosi się nawet sytuacje stresowe. Stan udręczenia może na przykład negatywnie wpływać na mięsień podłopatkowy, przez co idący człowiek ma opuszczone ramiona i zgarbione plecy. Mięsień ten ma energetyczny związek z meridianem serca, a przez to z samym sercem.

Przez kondycję tego mięśnia (słabo rozwinięty, nietrenowany itp.) mogą pojawić się problemy z sercem. Im lepsze wytrenowanie mięśni, a co za tym idzie – kapilar tego serca peryferyjnego, tym bardziej zmniejsza się obciążenie serca i tym szybciej odnawia się jego funkcja. Przyjmowanie nadtlenku wodoru poprawia pracę kapilar i serca.

Rola promieni UV w funkcjonowaniu żywych organizmów

W poszukiwaniach odpowiedzi na pytanie dotyczące mechanizmu rozruchowego procesów energetycznych, zatrzymaliśmy się na świetle ultrafioletowym – promieniowaniu elektromagnetycznym, które leży u podstaw spontanicznego promieniowania mitogenetycznego (A. Gurwicz).

Podczas pracy albo wymierania komórek, część uwolnionej energii zostaje pochłonięta przez inne komórki, a pozostała stymuluje procesy metabolizmu, co stwarza właśnie spontaniczną aktywność bioelektryczną odpowiedniego narządu. Komórki każdego narządu mają przy tym własne spektrum, zestaw częstotliwości zdeterminowanych przez rytmy Słońca jeszcze w procesie embrionalnego rozwoju człowieka.

Na tych częstotliwościach (procesach falowych) zachodzą zależne od siebie nawzajem drgania elektromagnetyczne, tworząc pole energoinformacyjne wokół komórki, organu, a następnie całego ciała. Pole to nazywamy „aurą" (biopolem). Lecz przedstawione procesy są niemożliwe bez tlenu.

Co temu towarzyszy? Wiadomo, że dzięki sile żywotnej światła słonecznego zachodzi zjawisko fotosyntezy, w którym uczestniczy jedynie nieznaczna część jego spektrum. Energia Słońca, dosięgająca powierzchni Ziemi, zawiera całe spektrum promieni świetlnych, różniących się długością fal: podczerwień (780 – 1100 nm), widzialne (380 – 780 nm), ultrafioletowe (200 – 380 nm). Uwzględniając właściwości biologicznego działania promieni słonecznych, promieniowanie UV dzieli się na trzy zakresy spektralne:

- UV A o długości fali od 320 do 380 nm;
- UV B o długości fali od 280 do 320 nm;
- UV C o długości fali od 200 do 280 nm.

Promieniowanie UV zakresu A jest słabo aktywne, ale pozytywnie wpływa na przebieg procesów życiowych zachodzących w żywych organizmach. Promieniowanie UV zakresu B jest intensywniejsze od promieniowania A i może wywoływać nawet zmiany mutacyjne, które na przykład u roślin (lecz nie tylko) mogą znacząco pobudzić wzrost, poprawić jakość i wydajność. Najintensywniejsze jest jednak promieniowanie UV zakresu C, które może już – w zależności od czasu i dawki promieniowania – doprowadzić do gwałtownych mutacji w żywych organizmach.

Oto dlaczego krótkofalowa część spektrum UV poniżej 293 nm i cały zakres C promieniowania UV zostaje w całości pochłonięty przez warstwę ozonową w atmosferze, parę wodną i inne cząsteczki, nie dosięgnąwszy powierzchni Ziemi.

Ta część promieniowania UV, która przewyższa zakres 294 nm i dociera do powierzchni Ziemi, stanowi nie więcej niż 5% ogólnej ilości promieniowania słonecznego. UV zakresu C jest niemal całkowicie nieobecne w składzie spektrum słonecznego, docierającego do powierzchni Ziemi (nieznaczna jego ilość występuje w czasie wschodu i zachodu Słońca, przez co czas ten najbardziej nadaje się do opalania). Jego rola w życiu organizmu jest jednak ogromna.

Deficyt UV C wywołuje zaburzenia w przemianie materii, osłabienie sił obronnych organizmu i powstanie różnorakich dolegliwości. Nie na darmo promieniowanie zakresu C nazywa się „zabijającym życie", ponieważ dysponuje mocnym działaniem bakteriobójczym.

Przez wiele lat badań ustalono, że najbardziej naturalne dla organizmu jest UV zakresu C w wąskich przedziałach 256–258 nm. Jednakowoż podczas pracy z tym spektrum częstotliwości odkryto, że wywołuje ono zmiany w procesach hematologicznych i biochemicznych, aż do patologii włącznie.

Eksperymentowaliśmy w dalszym ciągu i zrozumieliśmy, że w celu uzyskania właściwego efektu fizjologicznego nieodzowne jest spektrum UV zakresu C, ale najwyższa jego ilość powinna zamykać się w zakresie 256–258 nm i stanowić 80%, a pozostałe spektrum powinno znajdować się poniżej i powyżej wymienionego.

Zadziwiające, że nasze dane, podane do wiadomości w latach 60. i 70. ubiegłego stulecia, pokryły się z danymi fizyków E. Wartanowej i W. Ippolitowa (Ałma-Ata, 1985), którzy udowodnili, że nawet nasza myśl emituje UV w zakresie C (256–259 nm).

W rezultacie długich badań eksperymentalnych i klinicznych stworzono urządzenie do napromieniowywania płynów biologicznych (krew, plazma, limfa, mleko, woda) promieniami UV – „Helios-1", w konstruowaniu którego uczestniczyli I.I. Kondratiew i W.A. Ilin.

Możliwości rezerwowe organizmu są ogromne, tylko nie umiemy z nich korzystać, nie poddajemy ich ciągłemu treningowi, by zawsze pozostawały w gotowości bojowej. Promieniowanie ultrafioletowe wzmacnia „drzemiący" układ immunologiczny, szczególnie limfocyty, leukocyty i granulocyty, które właśnie wytwarzają nadtlenek wodoru i niszczą komórki patologiczne (zjawisko fagocytozy). Ilość naszych obrońców zwiększa się 2–3-krotnie. Znacznie nasila się aktywność enzymatyczna i wydzielanie hormonów, rozpuszczają się zakrzepy, znacznie polepsza się mikrokrążenie krwi, wzrasta intensywność procesów biochemicznych i energetycznych.

W przypadku ludzi chorych oraz w podeszłym wieku obserwuje się podwyższoną krzepliwość krwi ze względu na pojawienie się asocjatów (czynników łączących) – „gron" erytrocytów i innych składników krwi, które podczas osłabienia organizmu łączą się (zlepiają) ze sobą. Stają się przez to większe i nie mogą przeniknąć przez błonę komórek.

Podczas stosowania terapii naświetlania ultrafioletem owe czynniki łączące ulegają zniszczeniu, co nie tylko poprawia ciekłość krwi, ale również zwiększa zdolność erytrocytów do przechwytywania tlenu, bez którego komórki się duszą, znajdując się w stanie ciągłego głodu tlenowego, czyli choroby. Nie zaszkodzi przypomnieć, że komórki rakowe powstają właśnie w środowisku beztlenowym.

Poprawa wszystkich parametrów biochemicznych i energetycznych sprzyja temu, że organizm sam zaczyna radzić sobie z procesami patologicznymi, które nim zachodzą. Oto dlaczego zastosowanie naświetlania krwi ultrafioletem w wybranym przez nas spektrum tak skutecznie działa w przebiegu każdej choroby.

W istocie terapia kwantowa za pomocą światła ultrafioletowego nie jest środkiem leczenia jakiegokolwiek konkretnego zachorowania, lecz w sposób fizjologiczny stymuluje główne funkcje życiowe organizmu, które poprawiają procesy metaboliczne, a także podnoszą poziom energetyczny naturalnych mechanizmów regulacji i samoobrony. Tak więc za pomocą tej terapii układ immunologiczny zaczyna działać w trybie, który został mu narzucony przez Przyrodę.

Należy jedynie dodać do tego zestaw zabiegów oczyszczających organizm z odpadów, prowadzić zdrowy tryb życia i wciąż trenować swoje ciało za pomocą umiarkowanych obciążeń fizycznych oraz korzystać z naturalnych czynników: powietrza, wody itd., które hartują nie tylko ciało, ale i duszę.

W związku z powyższym, oczywista jest uniwersalność proponowanej metody naświetlania ultrafioletem, szeroki zakres i różnorodność korygowanych objawów klinicznych, brak jakichkolwiek powikłań, a także zauważalny efekt w przypadku nieodwracalnych procesów i utraconych funkcji. Między innymi użycie skonstruowanych urządzeń w Afganistanie w celu leczenia chorych na wirusowe zapalenie wątroby, przy infekcjach ran, sepsie, przypadkach gangreny, szoku pourazowym i innych dowiodło, że metod mogących się równać pod względem efektywności po prostu nie ma.

Opracowany przez nas „Helios-1" wywołuje za pośrednictwem promieniowania ultrafioletowego częstotliwościowo-rezonansowe doładowanie organizmu, doprowadza do normy zaburzony potencjał energetyczny komórki, procesy metabolizmu i odporność. Dzięki aktywacji naturalnych procesów energetycznych organizmu – on sam zaprowadza w sobie porządek.

Przecież jeśli wziąć za przykład AIDS, to reakcja na infekcję HIV wcale nie jest specyficzna, o czym wielu lekarzy już wie, a sam wirus nie był jeszcze przez nikogo widziany, bo jest nie jeden, lecz występuje w kilku odmianach (swego rodzaju „grona" wirusów). Ostatni fakt dotyczy ściśle diagnostyki – pomyłka jest bardziej niż możliwa, nie mówiąc już o leczeniu, które nie przyniesie żadnego efektu, oprócz niekorzystnego.

Powtarzam, że najważniejszym czynnikiem powodującym pojawienie się jakiejkolwiek choroby jest zakłócenie pracy układu naczyniowego i odpornościowego, których funkcje obronne powinny być silniejsze niż jakikolwiek szkodliwy czynnik lub wirus. W związku z napięciami ekologicznymi, ekonomicznymi, socjalnymi i innymi, kiedy to organizm sam przez się odczuwa silny stres, związany z koniecznością przeżycia, pojawienie się różnych chorób, nawet jeszcze nieznanych, to problem dnia jutrzejszego.

Każde zakłócenie (choroba) w organizmie sprowadza się do deficytu immunologicznego, co jeszcze w latach 80. ubiegłego stulecia zauważyła Światowa Organizacja Zdrowia: wirusowe zapalenie wątroby, choroby przewlekłe, objawy alergiczne, astma oskrzelowa, bezpłodność, AIDS i inne. Wystarczy powiedzieć, że w 1988 roku, kiedy w naszym kraju o AIDS mało kto mówił i uważano, że choroba ta może występować jedynie w krajach kapitalistycznych, na czwartym Międzynarodowym Kongresie poświęconym AIDS w Sztokholmie (12–16 czerwca) informowaliśmy już, że przy pomocy przyrządu do naświetlania krwi ultrafioletem „Helios-1" można leczyć wymienione choroby deficytu immunologicznego.

Poza tym, wśród zalet przyrządu wymienić należy następujące:

- użycie minimalnej ilości krwi do transfuzji (zamiast 300–500 ml tylko 10–30 ml), co zupełnie wystarczy do uruchomienia naturalnych mechanizmów układu energetycznego i odpornościowego w organizmie;
- napromieniowywanie płynu ma miejsce w okolicy całej rurki, a nie jednostronnie, jak w innych urządzeniach, co zapewnia wysoki (do 80%) stopień napromieniowania krwi, a to podnosi efektywność promieniowania 1,5–2-krotnie;
- wykorzystywanie jednorazowego, standardowego sprzętu do transfuzji; przenośny rozmiar urządzenia pozwala na przeprowadzanie napro-

mieniowania UV praktycznie w każdych warunkach.

W związku z powyższym oczywistym wydaje się wniosek, że napromieniowywanie krwi ultrafioletem wykazuje wszechstronne działanie – przeciwzapalne, przeciwbólowe, zmniejszające obrzęki, regenerujące, immunokorygujące, odczulające, antytrombocytowe [przeciwzakrzepowe], ogólnowzmacniające i uzdrawiające.

Obserwuje się również działanie na płynność krwi i zwiększające potencję. Podsumowując: napromieniowywanie krwi ultrafioletem w wybranym spektrum fizjologicznym UV zakresu C sprzyja ogólnemu powrotowi do zdrowia i odmłodzeniu organizmu.

Najważniejsze jednak, że przy napromieniowywaniu ultrafioletowym powstaje ozon, z którego, na skutek szybkiego rozkładu, wydziela się tlen atomowy.

Przyszłość połączenia efektu leczniczego nadtlenku wodoru i promieni UV

Porównując dane otrzymane podczas leczenia za pomocą nadtlenku wodoru i napromieniowywania ultrafioletowego krwi, doszliśmy do wniosku, że u podstaw efektu tego ostatniego leży również tlen atomowy, powstający w wyniku wprowadzanej energii promieni UV w fizjologicznym zakresie częstotliwości.

Tlen atomowy jest tym czynnikiem leczniczym, który oddziałuje podczas stosowania urządzenia „Helios-1".

Stąd płynie wniosek: nadtlenek wodoru i ultrafioletowe napromieniowywanie krwi w zaproponowanym przez nas urządzeniu to odmiana **jednej i tej samej metody leczenia tlenem atomowym.** Przy tym właściwa dawka w różnych sytuacjach zapewnia bezpieczeństwo takiej kuracji, a sama metoda zapewnia możliwość leczenia każdej choroby bez użycia lekarstw syntetycznych, które z zasady obniżają odporność po pierwszych objawach poprawy.

Pozostało już tylko połączyć obie te metody leczenia: jeden dzień – H_2O_2, drugi dzień – napromieniowywanie UV.

Zważywszy, że duże dawki nadtlenku wodoru mogą wywołać reakcje niepożądane, wydaje się celowym wprowadzać go dożylnie przez urządzenie do naświetlania promieniowaniem UV. Nadtlenek wodoru, szybko rozkładający się w świetle, jeszcze szybciej rozkłada się podczas napromieniowywania UV. Do żyły dostaje się już woda i tlen atomowy. Pozwala to w ciężkich przypadkach wprowadzać duże dawki tlenu atomowego, unikając szkodliwego działania dużego stężenia H_2O_2. Czyni to zabieg absolutnie bezpiecznym.

Jak widać z powyżej przytoczonych danych, opracowane przez nas urządzenie do ultrafioletowego napromieniowywania krwi posiada istotną przewagę nad podobnymi konstrukcjami.

Biorąc pod uwagę fakt, że bez ultrafioletowego spektrum zakresu C nie może istnieć ani człowiek, ani zwierzę czy roślina, kontynuowaliśmy jednocześnie prace nad konstrukcją przyborów i urządzeń nie tylko do wykorzystania w praktyce medycznej, ale również w weterynarii i rolnictwie.

Opracowano instrukcje, przybory i urządzenia, o których nie tylko zostały powiadomione zainteresowane, wydawałoby się, resorty, ale i przedstawiono przekonujące dowody ich skuteczności (na przykład, „Helios-1" pomyślnie przechodził próby kliniczne w wiodących klinikach kraju). Lecz zastosowanie tego wszystkiego w naszym kraju okazało się niepotrzebne. A wiecie dlaczego?

Ułatwię Wam znalezienie odpowiedzi: otóż dlatego, że te przybory i urządzenia „odetną tlen" wielu przedsiębiorcom produkującym lekarstwa syntetyczne, nawozy mineralne [sztuczne] itd. Na przykład napromieniowanie roślin ultrafioletem (który jest im tak samo nieodzowny, jak ludziom i zwierzętom) praktycznie wyklucza konieczność używania nawozów mineralnych przy jednoczesnej poprawie plonu wszystkich kultur prawie o 1,5 raza. Następuje przy tym również rekultywacja gleby.

Jeśli mowa o medycynie, to w Ministerstwie Zdrowia Federacji Rosyjskiej znajduje się cała dokumentacja niezbędna do seryjnej produkcji urządzeń „Helios-1", ale została skompletowana jeszcze w ZSRR. Teraz wymaga się powtórzenia związanych z nią procedur, lecz pod egidą nowego państwa – Rosji.

Nie są potrzebne nowe fundusze, badania, nakłady czasu oraz sił. Trzeba po prostu wydać decyzję i zacząć je wprowadzać, jako że są potrzebne każdej klinice i każdemu szpitalowi.

Niestety, nic się nie zmienia: Ministerstwu Zdrowia jest to również niepotrzebne. Oto dlaczego wynalazcy wcześniej nieustannie proponowali, by stworzyć przy Ministerstwie Zdrowia niezależny pododdział, który zajmowałby się wdrażaniem do praktyki lekarskiej perspektywicznych opracowań. Lecz jak go nie było, tak i prawdopodobnie nie będzie w najbliższej przyszłości.

Właściwości lecznicze i zastosowanie nadtlenku wodoru

PRZYRODA mądrze postąpiła, dając organizmowi wszystko, by prawidłowo funkcjonował jako samodzielny, samoregulujący się system. Jedną z jego najważniejszych cech jest zdolność wytwarzania przez komórki układu odpornościowego (leukocyty i granulocyty) **nadtlenku wodoru** z wody i tlenu cząsteczkowego.

Nadtlenek wodoru, swoją drogą, rozpada się na **wodę i tlen atomowy**, co stanowi mocną broń przeciwko wszelkim patogennym „wrogom", niezależnie od tego, czy to wirusy, bakterie, grzyby czy jakiekolwiek inne infekcje pasożytnicze. Ponieważ wydziela się przy tym nieodzowny dla komórek aktywny tlen, jednocześnie wyeliminowany zostaje efekt glikolizy, który powstaje podczas niedotlenienia, na czym cierpią wszystkie reakcje biochemiczne i bioenergetyczne w organizmie, a w pierwszej kolejności mitochondria, które przestają produkować niezbędną dla komórek energię.

Mitochondria odgrywają ogromną rolę w procesach życiowych nie tylko komórki, lecz i całego organizmu. Wcześniej była już mowa o tym, że komórki rakowe mogą powstać wyłącznie w środowisku beztlenowym, czyli przy glikolizie, nawet w warunkach braku wielu makro- i mikroelementów. Laureat Nagrody Nobla O. Warburg mówił o tym jeszcze na początku zeszłego stulecia. Tak więc jeśli mitochondria nie otrzymują niezbędnych do właściwego działania pierwiastków, przechodzą na beztlenowy tryb pracy, w rezultacie czego zakłóceniu ulega oddychanie komórki, i, w szczególności, proces powstawania nowych komórek oraz niszczenia martwych i patologicznych.

Jedną z ważniejszych funkcji organizmu jest podtrzymywanie równowagi elektrolitycznej, czyli homeostazy, lub też równowagi kwasowo-zasadowej. Każde odchylenie od tej równowagi świadczy o procesie zapalnym w organizmie, co ma miejsce w przypadku niedostatecznej ilości tlenu w komórkach i w pierwszej kolejności odbija się na mitochondriach – tych malutkich elektrowniach.

Jednakże przypominam jeszcze raz, że mowa nie o tlenie molekularnym, który dociera do naszego organizmu wraz z powietrzem, a otrzymywanym w organizmie z nadtlenku wodoru tlenie atomowym, który – będąc silnym antyoksydantem – nie tylko przywraca prawidłową pracę komórek, ale i, utleniając niedotlenione substancje, likwiduje w komórce wszystko, co przeszkadza jej w prawidłowym funkcjonowaniu.

Jeśli komórki układu odpornościowego, jego „zabójcy" – leukocyty i granulocyty – nie produkowałyby nadtlenku wodoru, nasze życie byłoby w ogóle niemożliwe. Oto dlaczego nadtlenek wodoru powinien być obecny w organizmie zawsze w wystarczającej ilości, co niestety z różnych powodów nie ma miejsca. Jak donoszą na przykład dr Fletcher i dr Maalen, u chorych na białaczkę produkcja nadtlenku wodoru jest mniejsza o 70%, i dopóki nie zostanie przywrócony jego poziom, wyleczenie takiego chorego jest praktycznie niemożliwe.

Jakie procesy zachodzą w organizmie podczas powstawania nadtlenku wodoru? Należy powiedzieć, że wzór rozpadu nadtlenku wodoru na wodę i tlen nie odpowiada całej istocie tego procesu, ponieważ przy rozpadzie jednej cząsteczki nadtlenku wodoru powstaje jeden atom tlenu atomowego:

$$H_2O_2 = H_2O + O' + 23 \text{ kcal.}$$

Podczas rozpadu dwóch molekuł nadtlenku wodoru powstają dwa atomy tlenu, które łączą się w cząsteczkę tlenu:

$$2H_2O_2 = 2H_2O + O_2 + 47 \text{ kcal.}$$

Jednak prawdopodobieństwo powstania z nadtlenku wodoru molekuł tlenu jest dość niskie, ponieważ w związku z wysoką aktywnością tlenu atomowego jest on wykorzystywany w pierwszej kolejności do normalizacji reakcji utleniania i redukcji rodników organicznych, które wymagają mniejszych energii niż powstawanie cząsteczek tlenu. Przytoczone reakcje zachodzą jednocześnie, ale w różnym czasie i warunkach z różnymi energiami i, odpowiednio, prędkościami.

W taki sposób poprzez te reakcje zachodzi bardziej złożony, zrównoważony proces uzyskiwania tlenu molekularnego i atomowego, który odgrywa naczelną rolę w procesach utleniająco-redukcyjnych. Zakłócenie jego powstawania prowadzi do chorób, których charakter nie ma tu znaczenia, o czym już wcześniej wspominałem. Obserwuje się przy tym określoną zależność: aktywność tlenu cząsteczkowego jest tym większa, im większe stężenie tlenu atomowego, i na odwrót.

Na przykład w lesie sosnowym występuje wysokie stężenie tlenu nie tylko molekularnego, ale i atomowego, powstającego z szybko rozpadającego się ozonu, którego zapach możemy nawet wyczuć.

Zatem mechanizmem rozruchowym reakcji bioenergetycznych, zachodzących w organizmie dzięki przemianom elektronowym, jest tlen atomowy, powstający z nadtlenku wodoru.

Należy w tym miejscu powiedzieć kilka słów o **Żyrandolu Czyżewskiego** [niektóre źródła polskie błędnie nazywają go „lustrem" Czyżewskiego, sądząc, że rosyjskie słowo „liustra" oznacza lustro]. Najważniejsza zasługa Czyżewskiego polega na tym, że udowodnił, iż w powietrzu występują aerojony, bez których człowiek nie może żyć. Nazwał je „witaminami powietrza".

Jeśli na przykład zwierzętom (myszy, szczurowi) pozwalać oddychać powietrzem przefiltrowanym przez watę, to w ciągu dwóch-trzech tygodni umierają od takiego „sterylnego" powietrza. Tymczasem okazuje się, że z pomocą stworzonego przez uczonego żyrandola powstaje powietrze zjonizowane, ozon, który rozpadając się, tworzy tlen molekularny i atomowy, wywierający tak życiodajny wpływ.

Jest to takie samo zjonizowane powietrze, którym oddychamy w pobliżu górskich wodospadów.

Mamy do czynienia z jeszcze jedną ciekawą okolicznością. Otóż jeśli w specyfikacji technicznej urządzenia jest napisane, że w objętości równej 1 m^3 wokół lampy powstaje określona ilość jonów naładowanych ujemnie, które poprawiają stan zdrowia człowieka, to możecie być pewni, że w tej samej objętości znajduje się dokładnie tyle samo jonów dodatnich, które pogarszają zdrowie. Rzecz w tym, że bez wzajemnego powiązania procesów dodatnich i ujemnych nic nie może w Przyrodzie istnieć.

W miarę rozwoju cywilizacji człowiek zamknął się w puszce Faradaya [zwanej też klatką Faradaya], w której zmieniony został składnik elektromagnetyczny, kiedy to więcej jest aerojonów dodatnich niż ujemnych. W rezultacie tego komórka organizmu, tracąc ładunek w błonie komórkowej, staje się podatna na uszkodzenia przez jakikolwiek szkodliwy czynnik. Oto dlaczego, znajdując się w pobliżu Żyrandola Czyżewskiego i przechwytując aerojony ujemne, człowiek odczuwa ulgę.

Jedno tylko nie jest brane pod uwagę przy stosowaniu tego urządzenia. Podczas pracy elementy Żyrandola, rozkładając powietrze na jony dodatnie i ujemne, niczym odkurzacz przyciągają ku sobie wszelkie zanieczyszczenia, co w konsekwencji może wpłynąć zarówno na skuteczność działania Żyrandola, jak i na zdrowie człowieka.

Jak więc właściwie wykorzystywać Żyrandol? Należy przewietrzyć pomieszczenie, zamknąć okna, zlikwidować przeciągi, włączyć Żyrandol na 20–30 minut, a następnie wyłączyć i powtarzać tę procedurę cyklicznie co 2–3 godziny. Niestety, nigdzie nie natknąłem się na dane o tym, jak długo Żyrandol może funkcjonować w „warunkach polowych".

Istota oddychania polega na łączeniu węgla i wodoru pochodzenia organicznego z tlenem z powietrza. W sensie chemicznym proces ten jest jednakowy w przypadku zwierząt i roślin, przy czym rośliny wydzielają 20 razy więcej tlenu, niż go pochłaniają. Dlatego w atmosferze zachowana jest nieodzowna dla człowieka ilość tlenu. Wszystkie te reakcje zachodzą w następującym porządku: tlen molekularny – ozon – nadtlenek wodoru – tlen atomowy, z wydzieleniem energii podtrzymującej temperaturę ciała 36,6°C i stworzeniem powłoki biopola – aury (służącej również jako energetyczne doładowanie organizmu, pochodzące z otaczającego środowiska) i procesu tworzenia nowych komórek oraz niszczenia starych. Mówiąc przenośnie: każda komórka to swego rodzaju reaktor jądrowy, dostarczający energię procesom komórkowym i zapewniający życie całemu organizmowi.

Czyż nie na tym polega geniusz Kurczatowa [Igor Wasiljewicz Kurczatow, radziecki fizyk jądrowy, uznawany za ojca rosyjskiej bomby atomowej; po zdaniu sobie sprawy z jej mocy, stał się gorącym zwolennikiem zaprzestania prób jądrowych], że w celu stworzenia reaktora atomowego, do którego przewidział wykorzystanie w charakterze rdzenia węgla, skopiował po prostu proces zachodzący w organizmie?

Spadek stężenia dwutlenku węgla w organizmie powoduje mutowanie komórek i niekontrolowany ich rozrost, dający się powstrzymać tylko za pomocą przywrócenia stanu równowagi w procesie tworzenia się tlenu i dwutlenku węgla. Oto dlaczego tak ważna jest właściwa proporcja dwutlenku węgla i tlenu. Przecież jej zachwianie prowadzi z zasady do zmian patologicznych w pracy komórek.

Rozpad utleniający H_2O_2 podczas wprowadzania doustnego

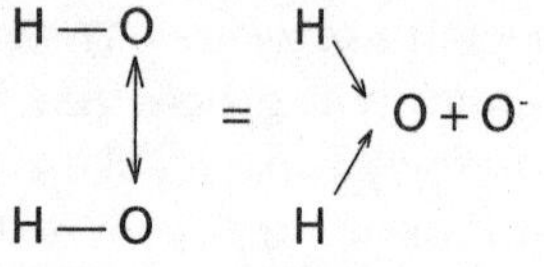

H—O ↕ H—O = H\ /H O + O⁻	– w kierunku kwasowym, charakterystycznym dla środowiska kwaśnego
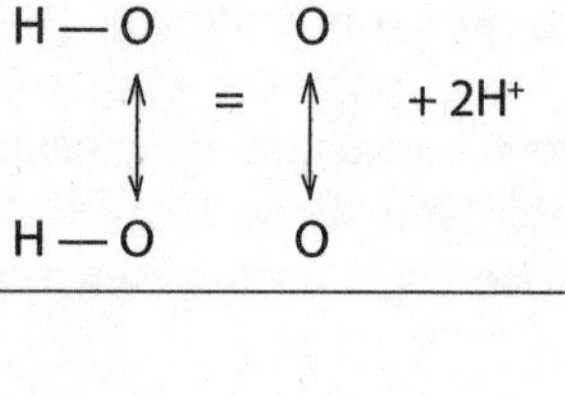 H—O ↕ H—O = O ↕ O + 2H⁺	– w kierunku zasadowym, charakterystycznym dla środowiska zasadowego

Zrozumienie istoty tych procesów stanowi płaszczyznę do zastosowania nadtlenku wodoru w leczeniu różnych chorób. Wprowadzając do organizmu brakujący nadtlenek wodoru, wprowadzamy dodatkowe „paliwo", stymulujące procesy atomowe przebiegające w komórce, pobudzając je do rozpoczęcia pracy i obrony przed licznymi czynnikami szkodliwymi.

W Przyrodzie występuje wiele źródeł powstawania tlenu atomowego: człowiek dobrze się czuje w lesie, w pobliżu kipiącego wodospadu, pod Żyrandolem Czyżewskiego, w kąpieli tlenowej, podczas wystawiania się na promieniowanie ultrafioletowe – wszystko to za sprawą bezpośredniego powstawania z ozonu tlenu atomowego.

Przy zaburzeniu pracy tego mechanizmu, to znaczy przy niedotlenieniu, o czym już wielokrotnie mówiłem, pojawiają się liczne choroby, ze śmiercią organizmu włącznie. Dlatego też w takim wypadku – w celu odbudowy równowagi tlenowej, stymulacji procesów utleniania i aktywizacji własnego [tzn. znajdującego się w organizmie] tlenu atomowego – należy używać nadtlenku wodoru.

Podczas wprowadzenia nadtlenku wodoru peroralnie (doustnie) lub dożylnie (w zalecanych z biologicznego punktu widzenia dawkach), jego rozpad utleniający zachodzi według wzoru przedstawionego w tabelce na poprzedniej stronie.

Wzór strukturalny nadtlenku wodoru H-O-O-H ukazuje, że 2 atomy tlenu są połączone bezpośrednio ze sobą, i że łączenie to jest niestabilne. Na przykład czysty nadtlenek wodoru może rozpadać się na wodę i tlen z towarzyszącym temu wybuchem, przez co wykorzystywany jest w medycynie w postaci roztworów wodnych. Jak już powiedziano, nadtlenek wodoru dysponuje niewielkimi właściwościami kwasowymi, na czym polega jego funkcja utleniająca w środowisku kwaśnym, a redukcyjna w środowisku zasadowym. Jest to ta funkcja, którą obserwuje się w zanieczyszczonym organizmie.

Aktywność tlenu atomowego jest bardzo duża i w pierwszej kolejności utlenia on atomy pierwiastków, które są niewłaściwe dla danego organizmu. Cała flora patogenna boi się jak ognia spotkania z takim tlenem, ponieważ w praktyce sama powstaje przy jego niedoborze.

Głównym przeznaczeniem tlenu atomowego jest korygowanie częstotliwości rezonansowej komórek, wspomaganie rozwoju nowych i niszczenie starych oraz chorych.

Taki mechanizm działania nadtlenku wodoru potwierdzony jest szeregiem obserwowanych przypadków.

- Pacjentka N., 40 lat, zachorowała ***na raka piersi z rozległymi przerzutami***. Odmówiono jej operacji, po czym wyjechała na syberyjską wieś, gdzie rósł las cedrowy. Mieszkała tam 6 miesięcy. Wróciła całkowicie zdrowa.
- Młody, 16-letni człowiek wrócił ze szkoły i zasnął w czasie kolacji. ***Spał 3 miesiące***. Ojciec, ordynator oddziału reanimacji w Wołgogradzie, zwracał się o pomoc do wszystkich instancji, włącznie z Moskwą. Nikt nie mógł obudzić syna. Wykonano dwa zabiegi napromieniowywania ultrafioletowego krwi, za pomocą skonstruowanego przez nas instrumentu „Helios-1". Następnego dnia młodzieniec obudził się, najpierw poznał siostrę, potem matkę, a następnie całkowicie doszedł do siebie.
- Pacjent K., 83 lata, ***stale krwawiący nowotwór złośliwy prawej skroni (wielkości jajka kurzego)***. Prowadzone leczenie nie przynosiło rezultatu i lekarze odmówili dalszej opieki nad pacjentem. Zadecydowano, by na ranę przykładać tampony zmoczone w 5%, a potem 30% roztworze nadtlenku wodoru. Po tygodniu krwawienie ustało, po miesiącu zniknął sam nowotwór. Powierzchnia prawej skroni stała się czysta, jakby niczego tam wcześniej nie było. Lekarze nie mogli uwierzyć, że w taki sposób została zlikwidowana narośl, z którą oni nie mogli sobie poradzić.

W książce W. Douglasa „Uzdrawiające właściwości nadtlenku wodoru" wylicza się choroby spowodowane stanami immunodeficytowymi (reumatoidalne zapalenie stawów, zapalenia tkanki miękkiej, alergie itd.), które praktycznie wszystkie są wyleczalne za pomocą przyjmowania nadtlenku wodoru, szczególnie podawanego dożylnie. Nawiasem mówiąc, ludzie o dociekliwych umysłach wykorzystują nadtlenek wodoru jako środek leczniczy w najróżniejszych chorobach już około 200 lat.

Chociaż zakończone sukcesem użycie nadtlenku wodoru w postaci infuzji dożylnej zostało przeprowadzone we Francji przez lekarza Nenstena w 1811 roku, co ogłoszono w piśmie „Lancet", wydawanym przez doktorów Terkliffa i Stebbinga, którzy również (1916 rok) używali H_2O_2 w celu wlewania dożylnego w różnych stanach, z dość dobrym efektem terapeutycznym, metoda ta do dzisiaj nie zyskała szerszego zastosowania. Spowodowane jest to jej prostotą i taniością.

Oczywiście, wykorzystanie nadtlenku wodoru doprowadzi do zachwiania ogromnego, niezmiernie dochodowego przemysłu wytwarzającego i dystrybuującego chemiczne preparaty lecznicze, który bogaci się za cenę pogorszenia stanu zdrowia użytkowników lekarstw.

Rzecz w tym, że medycyna to jedna z najbardziej konserwatywnych nauk, nie zauważających szkody, jaką przynoszą lekarze o wąskich specjalizacjach. Oczywiście specjaliści są nieodzowni, znają bowiem wszystkie najdrobniejsze szczegóły na temat tego czy innego organu lub układu. Jednak zarzucić im można to, że nie biorą pod uwagę faktu wzajemnego powiązania i zależności wszystkiego w organizmie.

Jak działania lekarzy usprawiedliwia anatomopatolog? Ból był tłumiony środkami przeciwbólowymi, stan zapalny się utrzymywał – podawano środki przeciwzapalne, organizm pacjenta był osłabiony – podawano mu witaminy. I dlatego nikt nie ma pretensji do lekarza. A chory zmarł w wyniku niedoboru wody w organizmie, zanieczyszczeń i niedotlenienia.

Lecz lekarzom nie starczyło już rozumu, by to zrozumieć. A jak mają zrozumieć, jeśli nikt ich tego nie uczył, bo uczą ich tacy, jak na przykład profesor W. Kisielow, zastępca dyrektora naukowego Instytutu Naukowo-Badawczego medycyny molekularnej im. Sieczenowa, niczego chyba niewiedzący i niechcący wiedzieć o produkcji nadtlenku wodoru w organizmie, ale z mądrą miną rozprawiający o jego rzekomej szkodliwości dla organizmu.

Jednak nie stanowi to usprawiedliwienia dla lekarzy, którzy doprowadzili do śmierci pacjenta. Wszyscy się uczyliśmy, ale najważniejsze jest to, że nie przestaliśmy się uczyć i nie oduczyliśmy się myśleć samodzielnie.

Postaci rynkowe H_2O_2 i jego tradycyjne zastosowanie

Nadtlenek wodoru to bezwonna, bezbarwna ciecz (w dużych stężeniach lub objętościach lekko niebieskawa). Jest to związek nietrwały, dobrze rozpuszczający się w wodzie i rozpadający się w świetle nawet w temperaturze pokojowej, w związku z czym należy go przechowywać w naczyniach z ciemnego szkła.

Nadtlenek wodoru występuje również jako **Perhydrol, Hydroperyt, Hyperol i Laperol**. Japończycy niedawno opracowali ekwiwalent nadtlenku wodoru pod nazwą Fluzol, którego używają z dobrym rezultatem w radioterapii u chorych na raka.

Perhydrol – skoncentrowany roztwór H_2O_2, w którym nadtlenku wodoru jest 27,5–35%. W sieci aptek zazwyczaj sprzedaje się 3% roztwór, często bez określenia na etykiecie stężenia.

Wielu niepokoi się tym, że H_2O_2 jest zanieczyszczony i zawiera rzekomo szereg substancji szkodliwych dla organizmu, szczególnie ołów i cynk. W odróżnieniu od technicznego, H_2O_2 trafiający do aptek jest dość czysty, szczególnie ten przygotowany dla akuszerek.

Oczywiście obecność domieszki ołowiu jest niepożądana, ale w tych ilościach nadtlenku wodoru, które są zalecane do stosowania wewnętrznego lub dożylnego, można te zanieczyszczenia zlekceważyć, biorąc pod uwagę efekt leczniczy, który wywołuje – tym bardziej, że ilość ołowiu trafiającego do organizmu z innych źródeł zawsze przekracza dopuszczalne normy.

Cynk zaś stanowi nieodzowny pierwiastek, bez którego nie zachodzi wiele reakcji biochemicznych i energetycznych.

Hydroperyt – produkowany jest w tabletkach i zawiera około 35% H_2O_2. Przed użyciem należy rozpuścić tabletki w wodzie: 1 tabletka na 1 łyżkę stołową wody (15 ml), co odpowiada 3% roztworowi H_2O_2.

Hydroperyt można stosować tylko zewnętrznie, gdyż nie jest wystarczająco oczyszczony.

Nadtlenek wodoru tradycyjnie stosuje się jako środek antyseptyczny, tamujący krwotoki, jako wybielacz, w celu uzyskania tlenu i jako utleniacz w technologii rakietowej.

W organizmie nadtlenek wodoru pod wpływem enzymu katalazy zamienia się w wodę i **tlen atomowy**, chroniąc struktury tkanek przed uszkodzeniami. W przeciwnym razie komórka ulega zanieczyszczeniu i proces apoptozy (likwidacji martwych i chorych komórek, a także pasożytów) nie zachodzi.

Dowiedziono, że **nadtlenek wodoru uczestniczy we wszystkich bioorganicznych procesach przemiany materii**: białek, tłuszczy, węglowodanów, soli mineralnych, a także w tworzeniu witamin, pracy wszystkich układów enzymatycznych, hormonalnych i w wytwarzaniu ciepła w organizmie. Sprzyja również przedostawaniu się cukru z plazmy krwi do komórki bez pomocy insuliny.

Jednak oprócz nasycenia organizmu tlenem atomowym, nadtlenek wodoru pełni jeszcze jedną, możliwe że ważniejszą rolę – utlenia toksyczne substancje. Właściwość tę dr Farr nazwał „utleniającą detoksykacją". Uściślając, utleniając tłuszcze, odkładające się na ściankach naczyń, nie tylko zapobiega zachodzeniu zjawiska arteriosklerozy, ale i likwiduje je.

Utleniające właściwości nadtlenku wodoru są bardzo silne: jeśli 10 – 15 ml H_2O_2 wlać do 1 l wody, to ilość drobnoustrojów zmniejszy się w niej tysiąckrotnie! Giną przy tym nawet takie patogenne mikroorganizmy, jak zarazki cholery czy duru brzusznego, a także spory wąglika [Bacillus anthracis], bardzo wytrzymałe w środowisku zewnętrznym. Zdolność nadtlenku wodoru (przy wprowadzeniu do wewnątrz) do efektywnej walki z infekcjami bakteryjnymi, grzybiczymi, pasożytniczymi i wirusowymi, a także do stymulowania pracy układu immunologicznego i powstrzymywania rozrostu nowotworów, udowodniona została przez znaczną ilość badań laboratoryjnych i klinicznych. (W. Douglas, 1998). Po infuzji dożylnej H_2O_2, komórki-zabójcy – limfocyty T, odpowiedzialne za intensywność pracy układu immunologicznego – uzyskują większą aktywność.

Połączenie zastosowania nadtlenku wodoru z naświetlaniem krwi ultrafioletem wywiera jeszcze silniejszy efekt terapeutyczny, szczególnie w przypadkach chorób związanych z takimi stanami deficytu immunologicznego, jak wirusowe zapalenie wątroby, choroby przewlekłe, bezpłodność, tak zwane AIDS, astma oskrzelowa itd.

Metody leczniczego zastosowania nadtlenku wodoru

Otrzymuję wiele listów i zdarza się, że jest w nich mowa o niebezpieczeństwach wynikających z zastosowania nadtlenku wodoru, a szczególnie jego wlewu dożylnego.

Zanim w ogóle cokolwiek polecam innym, najpierw wypróbowuję to na sobie. I tak oto nadtlenek wodoru wprowadzam dożylnie sobie i swoim krewnym za pomocą strzykawki u mnie w domu, w kuchni. I co? Żyję!

Nadtlenek wodoru to roztwór, w którym molekuły tlenu atomowego są oddzielone od siebie molekułami wody, a co za tym idzie – **w odróżnieniu od cząsteczek czystego tlenu – są bardzo małe, i ryzyko embolii gazowej** [zatoru w naczyniach krwionośnych, spowodowanego pęcherzykami gazu] **jest praktycznie wykluczone.**

Negatywne działanie nadtlenku wodoru przy wewnętrznym stosowaniu doustnym wyjaśnić należy tym, że w przewodzie pokarmowym jest mało enzymu katalazy lub nie ma go wcale. Oto dlaczego dobrano dawkę nieprzewyższającą **10 kropel w trakcie jednego zażycia** 30 minut przed posiłkiem lub 1,5–2 godziny po posiłku. Do tego nieprzypadkowo początkowy etap przyjmowania nadtlenku wodoru (10 dni) – co tyczy się również przyjmowania dożylnego – ustalony został jako tryb przywykania. Nawet sami chorzy mogą określić dla siebie dawkę, która wydaje się im do przyjęcia i nie wywołuje dyskomfortu, na przykład nawet nieprzewyższającą **3–5 kropel jednorazowo.**

W naszym „cywilizowanym" życiu jemy smażone, wędzone, a dodatkowo zatrute chemicznymi substancjami pokarmy, w których wcale nie ma tlenu, i dlatego do ich strawienia potrzeba go bardzo dużo. A tkanki żyją praktycznie w środowisku beztlenowym i zmuszone są walczyć o każdy dodatkowy łyk powietrza. Dlatego u niektórych osób przyjęcie nawet 2 kropel nadtlenku wodoru wywołuje nieraz różne dolegliwości z omdleniem włącznie, podobnie jak to ma miejsce z mieszczuchem, który znalazł się w lesie. Jednak w związku z tym, że organizm ludzki – na skutek charakteryzującego się małą ilością ruchu trybu życia, charakteru żywienia i innych czynników – praktycznie zawsze odczuwa niedobór tlenu, przyjmowanie nadtlenku wodoru przy jakichkolwiek zaburzeniach nie będzie zbędnym.

Jeśli po zażyciu nadtlenku wodoru pojawią się jakiekolwiek nieprzyjemne efekty, bóle, ociężałość i inne, to przerwijcie zażywanie na 1–2 dni, albo też zmniejszcie dawkę do 3–5 kropel. W czasie używania nadtlenku należy zażywać witaminę C (jeden ząbek czosnku dziennie spełni to zadanie).

Zastosowania zewnętrzne

- **Jako kompresy**, wcierania w dowolne chore miejsce (okolica serca, stawy itd.), smarowania powierzchni skóry przy chorobie Parkinsona, stwardnieniu rozsianym: 1–2 łyżeczki 3% roztworu nadtlenku wodoru [standardowa woda utleniona] na 50 ml wody, ze stopniowym zwiększeniem stężenia roztworu aż do 3% [czyli do stężenia nierozcieńczonej wody utlenionej];
- **Do płukania jamy ustnej**. Stosować 1 łyżeczkę 3% roztworu na 50 ml wody
- **W chorobach skóry** (egzema, łuszczyca i inne) można stosować nie tylko nierozcieńczoną wodę utlenioną [3% roztwór nadtlenku wodoru], ale i 15–25–33% nadtlenek wodoru, przygotowany z tabletek Hydroperytu, który można nabyć w sklepach z odczynnikami chemiczny-

mi. Należy smarować wysypki 1–2 razy dziennie, aż do całkowitego ich ustąpienia.

- **Jeśli cierpicie na grzybicę** stóp albo innych części ciała, lub **brodawki** na ciele i inne **wykwity**, należy je smarować 3% roztworem H_2O_2 [nierozcieńczoną wodą utlenioną] przez kilka dni, a znikną.
- **Przy infekcjach ran, procesach ropnych, krwiakach** itp., nadtlenek wodoru sprzyja szybszemu gojeniu się. Jak wiadomo, dobrym środkiem dezynfekującym przy płytkich ranach, pęknięciach i chorobach skóry są ałuny [uwodnione kryształy podwójnych siarczanów (VI) metali trój- i jednowartościowych; potocznie przez ałun rozumie się uwodniony siarczan potasowo-glinowy, czyli $KAl(SO_4)_2 * 12H_2O$, o który – w związku z jego zastosowaniami w kosmetyce i medycynie – chodzi autorowi]. Ich zastosowanie będzie skuteczniejsze w połączeniu z nadtlenkiem wodoru: do 10% roztworu ałunów (na 10 ml wody 10 g ałunów) dodać 1 łyżeczkę 3% nadtlenku wodoru. Roztwór ten jest świetnym środkiem do leczenia wrzodów troficznych [spotykanych przy zaawansowanej cukrzycy], szerokiego zakresu chorób skóry i ran powierzchniowych przy zapaleniach węzłów chłonnych.
- **Wykorzystanie nadtlenku wodoru w kąpielach.** Zazwyczaj zwracamy niewiele uwagi na naszą skórę, a przecież jej powierzchnia to $2m^2$ i działa ona jak nerki i płuca. Znaczy to, że przez skórę również oddychamy, i przez nią odprowadzane są produkty metabolizmu. Oto dlaczego po ćwiczeniach fizycznych i jakimkolwiek wysiłku, po obfitym spoceniu się należy koniecznie wziąć lekki prysznic, w przeciwnym bowiem razie szkodliwe substancje ponownie znajdą się w organizmie.

Bardzo dobrze działa na skórę kąpiel z nadtlenkiem wodoru, która jest już od dawna oficjalnie zalecana w wielu krajach: Anglii, USA, Kanadzie.

W celu zażycia jednej ciepłej kąpieli należy wziąć **5–6 buteleczek wody utlenionej (po 40 ml)**. Czas kąpieli to 30–40 minut. Następnie należy dolać trochę ciepłej wody i umyć się. Pamiętajcie jednak, że mydła i szampony, szczególnie zza oceanu, zawierają w swym składzie zasady, i zmywając z powierzchni skóry kwaśną warstwę ochronną, czynią Was naprawdę „nagimi" wobec licznych infekcji, które mogą przeniknąć przez skórę. Cykl zabiegów – 5–7 kąpieli co drugi dzień – można powtórzyć po upływie dwóch tygodni.

Jak zatem działają kąpiele z nadtlenkiem wodoru? Normują stolec, wypędzają glisty, regulują powłokę skórną w egzemie, łuszczycy, zapaleniach skóry i wrzodach troficznych, likwidują bóle kręgosłupa, stawów i mięśni.

Uwaga! Podczas kąpieli z nadtlenkiem wodoru możliwe jest zaobserwowanie podwyższonej temperatury ciała, pojawienie się zaróżowień na skórze, niewielkie zaburzenia wydalania stolca. Nie ma w tym nic niepokojącego – są to oznaki zanieczyszczenia organizmu. Im większe zanieczyszczenie, tym bardziej wyrażą się te objawy. Natomiast zdrowy człowiek po takiej kąpieli odczuje jedynie ulgę.

- **Zastosowanie w kosmetyce.** Wszystkie istniejące środki kosmetyczne – kremy, żele i balsamy – wykazują jedynie zewnętrzne działanie. A przecież zaburzenie funkcji komórki zależy od wewnętrznego stanu organizmu – od jego zanieczyszczenia. A ono z kolei zależy przede wszystkim od stopnia zaopatrzenia komórek w tlen. Suchą skórę, zaskórniki, zmarszczki i wiele innych likwiduje się dobrze przy pomocy nadtlenku wodoru.

Należy przemywać twarz ciepłą wodą, dobrze ją wytrzeć i – zmoczywszy watkę w nadtlenku o stężeniu 1–1,5%, a potem 2% – wymasować twarz i szyję. Po 20–30 minutach należy ponownie opłukać twarz w ciepłej wodzie.

Identyczny zabieg możecie wykonać przy cellulicie, wzmocnijcie tylko działanie nadtlenku wodoru za pomocą masażera lub aplikatora Kuzniecowa, a najlepiej Lyapko [każda inna rękawica lub gumowa gąbka do cellulitu spełni tu swoją rolę]. Należy wymasować biodra, brzuch, ręce i nogi, a następnie zwilżyć powierzchnię skóry 3% nadtlenkiem wodoru.

Zastosowanie wewnętrzne

Zażywać, zaczynając od 1 kropli na 2–3 łyżki stołowe wody (30–50 ml) 3 razy dziennie, 30 minut przed posiłkiem lub 1,5–2 godziny po posiłku, codziennie zwiększając dawkę o jedną kroplę, aż do 10 kropel dziesiątego dnia. Przerwać kurację na 2–3 dni i przyjmować już po 10 kropel, robiąc przerwę co każde 2–3 dni. Niektórzy chorzy w ogóle nie robią przerw.

W razie konieczności dzieciom do 5 roku życia można podawać po 1–2 krople na łyżkę wody, od 5 do 10 roku życia – po 2–5 kropel, od 10 do 14 lat – po 5–8 kropel jednorazowo, również 30 minut przed posiłkiem lub 1,5–2 godziny po posiłku.

Aplikacja do nosa i do uszu

- W każdej chorobie, stanach dyskomfortu (grypa, przeziębienie, ból głowy) – szczególnie w chorobie Parkinsona, stwardnieniu rozsianym, zapaleniach nosogardła (zapalenie zatok przynosowych lub czołowych), szumie w głowie i innych, należy zakrapiać nadtlenek wodoru do nosa, rozcieńczywszy 10–15 kropel w łyżce stołowej wody. Całą pipetkę wkrapiać najpierw do jednej, a potem do drugiej dziurki.

  Po 1–2 dniach można zwiększyć dawkę – po 2–3 pipetki do każdej dziurki. Potem można wprowadzać do jednego centymetra sześciennego za pomocą jednogramowej strzykawki.

  Kiedy po upływie 20–30 sekund z nosa zacznie wydzielać się śluz, należy udać się do łazienki, skłonić głowę na ramię, zatkać palcem tę dziurkę w nosie, która znajduje się wyżej, a przez dolną spokojnie wydmuchać wszystko, co wydostanie się z nosa. Następnie przechylić głowę na drugie ramię i powtórzyć to samo.

  Przez 10–15 minut nic nie jeść i nie pić.

- Przy krwotokach z nosa (o tym dobrze wiedzą lekarze pogotowia) nos zatyka się tamponami z 3% nadtlenkiem wodoru, a następnie szuka się przyczyny krwawienia.
- W różnych dolegliwościach uszu i w niedosłuchu należy stosować początkowo

0,3–0,5% roztwór nadtlenku wodoru (ok. 1 ml 3% H_2O_2, czyli wody utlenionej, na 1 stołową łyżkę wody). Po kilku dniach można stężenie roztworu zwiększyć do 1–2% (zakrapiać lub umieszczać w uchu tampon z waty).

Reakcje pacjentów

Szanowny Iwanie Pawłowiczu!

Chcę podzielić się z Panem tym, co stało się ze mną w czasie, gdy zaczynałam zażywać H_2O_2.

Mam 73 lata, przeszłam zawał serca i udar mózgu. Prawa strona [ciała] praktycznie nie działała. Na skutek bólów kręgosłupa, stawów oraz w okolicy serca, z trudem poruszałam się po pokoju. Głowę mogłam odwracać jedynie wraz z tułowiem, a to i tak nie wszystko. Zaczęłam przyjmować H_2O_2 zgodnie z Pańskim zaleceniem, zakrapiać do nosa, i nawet nacierać się nim. Po jakichś 2 tygodniach poczułam niewielką ulgę, a pod koniec miesiąca jak gdyby rozluźniła się jakaś sprężyna, po czym praktycznie zanikły bóle w okolicy serca i w stawach.

Minęło już 7 miesięcy, a ja czuję się jak 10 lat przed chorobą. Samodzielnie chodzę do sklepu, wykonuję gimnastykę, a całe lato kopałam w ogródku. Nawet chodziłam na bosaka i od czasu do czasu chłostałam się pokrzywą. Teraz wszyscy moi sąsiedzi przeszli na taki sam tryb życia i zrozumieli, że nie wkładając wysiłku w swoje zdrowie, nie osiągnie się żadnego pożytku – tym bardziej używając lekarstw, którymi nas tylko trują. Dziękuję Bogu, że jest Pan na świecie. Życzę zdrowia Panu i Pańskim współpracownikom.

T. Gordiejewa, Kirow

Komentarz: Jak widzicie, efekt pojawił się nie od razu, a ponieważ komórki chorych żyją faktycznie w środowisku beztlenowym, okres przyjmowania nadtlenku wodoru nie jest niczym ograniczony.

Mam 64 lata. Gdy miałem 50 lat, przeszedłem zawał. Po półtora roku pojawiło się nadciśnienie, przy czym ciśnienie podniosło się do 250/140 mm słupa rtęci. Zanim skończyłem sześćdziesiątkę, doszła arytmia z migotaniem komór, tachikardia napadowa oraz przerost prostaty, który przerodził się w guza prostaty. Od 52 roku życia mam grupę inwalidzką i niezależnie od dużej ilości przyjmowanych lekarstw oraz leczenia w szpitalach, mój stan się pogarszał. W rezultacie miałem ciężką zadyszkę, z trudem chodziłem. W związku z napuchniętymi nogami nie byłem w stanie się schylić, poruszałem się wyłącznie z pomocą bliskich, pogarszała się pamięć, a w głowie wciąż mi szumiało. Myślałem już o tym, by zakończyć swe życie na Ziemi, by nie męczyć ani siebie, ani najbliższych, ani lekarzy, którym od samego mojego widoku robiło się niedobrze.

Na początku roku 2000 zapoznałem się z zaleceniami profesora Nieumywakina i zacząłem przyjmować nadtlenek wodoru według jego metody. Zacząłem się również gimnastykować na tyle, na ile pozwalały mi siły, przyjmować naprzemienne prysznice, wychodzić niezależnie od pogody. Przestałem zatem liczyć na osoby trzecie, zająłem się własnym zdrowiem - jak mawia Iwan Pawłowicz - kompleksowo.

W efekcie obecnie (październik 2003 r.) uważam się za praktycznie zdrowego człowieka. Ciśnienie krwi spadło do 130-140/ 85-95 mm słupa rtęci, ekstracystole [nadkomorowe pobudzenia przedwczesne serca] oczywiście zdarzają się, ale nie zauważam ich. Swobodnie chodzę, kręgosłup zgina się, wykonuję stanie w pozycji „świecy", staję na głowie do 1 minuty, chodzę na pośladkach, właściwie przestałem wstawać nocą do toalety. Szum w głowie i opuchlizna nóg ustąpiła.

Profesor Nieumywakin ma rację: na zdrowie trzeba sobie zapracowywać. Ja poświęcam na poranną gimnastykę i zabiegi około godziny, a w ciągu dnia 1–1,5 godziny na spacer i bieg truchtem. Pozostały czas to praca na działce na miarę sił. Ale przecież mimo tego, że przybyło mi lat, czuję się o wiele lepiej niż przed chorobą. Okazuje się, że wszystko jest bardzo proste, ale bez własnego wkładu pracy zdrowia nie będzie. Nie chodzę do lekarzy, a jeśli już się do nich wybiorę, to dziwią się, dlaczego jeszcze żyję, bo według ich prognoz powinienem już dawno umrzeć. Mówię im: „Nie doczekacie się". Zresztą niektórzy z nich sami już umarli.

I co się okazuje? Wielu, do których wcześniej się zwracałem, nie mogło mi zalecić, co mam robić. Mógł to uczynić jedynie Główny Uzdrowiciel Narodowy Rosji. Jaki mam mieć teraz stosunek do oficjalnej medycyny, która porzuca pacjentów, dla których w ogóle istnieje?

Z szacunkiem i wdzięcznością za mądre i proste rady, których zastosowanie zmienia chorych w zdrowych.

I.P. Potzorow, Lipieck

Na starość uzbierało się wiele bolączek, i już wydaje się, że przywykliśmy do nich, ale ciągłe uczucie osłabienia, rozbicia, zmęczenia – nawet po nieznacznym wysiłku – uczyniły życie „nie do życia". Za radą I. P. Nieumywakina zaczęliśmy (ja i mąż) przyjmować nadtlenek wodoru. Po pierwszych dziesięciu dniach niczego nie poczułam, ale potem zaczęły dziać się cuda. Jelita zaczęły wyrzucać z siebie coś niewyobrażalnego. Jakieś błonki, czerń, kamyki – i trwało to ponad tydzień.

Wkrótce to samo zaczęło się u męża. Jeśli by Pan tylko wiedział, jak odżyliśmy. Można by rzec: odmłodnieliśmy o 10-15 lat. Czy to możliwe, że to wszystko przez nadtlenek wodoru?

W.I. Morozowa, Tomsk

Komentarz: Rzecz w tym, że wydzielany w organizmie podczas rozkładu nadtlenku wodoru tlen atomowy jest nie tylko mocnym, dodatkowym źródłem nasycenia tkanek tlenem, ale i utleniaczem produktów toksycznych, które blokowały pracę jelit. Niektórzy uczeni twierdzą (profesor Jesenkułow), że nadtlenek wodoru uszkadza komórki nabłonka rzęskowego [epithelium rzęskowe] jelita grubego, co w konsekwencji negatywnie odbija się na jego pracy. Nadtlenek wodoru jest nie tylko produktem działalności komórek-zabójców [limfocytów], likwidujących wszelką patogenną mikroflorę, wirusy i grzyby. Jest jeszcze swego rodzaju uniwersalnym środkiem utrzymującym na właściwym fizjologicznie poziomie wszystkie ważne dla życia procesy. Komórki układu immunologicznego – limfocyty i granulocyty – to nasi ratownicy, a nie niszczyciele. Oto dlaczego nadtlenek wodoru, dotleniwszy niedotlenione substancje, wyrzucił je z organizmu, „zaprowadzając porządek" w jelitach.

Z całego serca dziękuję za zalecenie dotyczące zażywania nadtlenku wodoru. Jestem inwalidą II grupy, mam 77 lat. 44 lata przepracowałem dla nauki. W 1990 roku przebyłem rozległy zawał serca. Od tamtej chwili cierpię na bóle dławicowe. Nie mogłem przejść 5 minut od domu do Instytutu bez zatrzymywania się i zażycia nitrogliceryny, i to mimo faktu, że leczyłem się najnowocześniejszymi środkami. Rok temu stan gwałtownie się pogorszył i byłem zmuszony odejść na emeryturę. Przeczytawszy o korzystnym wpływie nadtlenku wodoru w informatorze „ZSŻ", zacząłem przyjmować go po 30 kropli dziennie. Po kilku tygodniach stenokardia, która jak wiadomo związana jest z niedotlenieniem mięśnia sercowego, całkowicie znikła. Tlen z nadtlenku wodoru w pełni zaspokoił potrzeby serca. Stopniowo wykluczyłem przyjmowanie wszystkich lekarstw służących rozszerzeniu naczyń. Zażywając tylko nadtlenek wodoru, czuję się wspaniale – jakby podmieniono mi serce. Z przyjemnością prowadzę samochód, latem pracowałem na działce, kopałem grządki, sadziłem, pielęgnowałem, zbierałem plony. Obecnie bez wysiłku przechodzę dystans 5 km.

Profesor G.P. Kutuzow, Łobnia

Szanowny Iwanie Pawłowiczu!

Zwraca się do Pana emerytka, weteranka wojenna, z prośbą o rozszyfrowanie metodyki przyjmowania nadtlenku wodoru. 16 marca 2003 roku zaczęłam przyjmować nadtlenek, począwszy od jednej kropli, i doszłam do 30 kropel, z przerwami. Ponieważ widocznie nieuważnie przestudiowałam Pańskie zalecenia, przyjmowałam nadtlenek dwa razy dziennie, rano i wieczorem po 30 kropel. Po zażyciu nie było żadnych zakłóceń wewnętrznych, przeciwnie, pojawiła się rześkość. I, o ile wcześniej z trudem się przemieszczałam, zaczęłam lepiej i szybciej chodzić, nie odczuwając zmęczenia. Jednak po 1,5 miesiąca takiego przyjmowania nadtlenku zauważyłam, że zaczął mi się gwałtownie pogarszać wzrok. Ponieważ przez wiele lat rozwijała się u mnie postępująca zaćma, zwróciłam się do pani lekarz, która orzekła, że stosowanie nadtlenku wodoru mogło przyspieszyć rozwój zaćmy, i że konieczna jest natychmiastowa operacja. Co mam dalej robić? Zażywać nadtlenek czy nie?

N. Swiridowa, Kazań

Komentarz: Szanowna Nadieżdo Siergiejewna! W organizmie powoli, stopniowo nawarstwiają się zjawiska, które dochodząc do określonej granicy, wylewają się w tę lub inną chorobę. Zaćma przecież od dawna dojrzewała, a nadtlenek wodoru swym działaniem mógł przyspieszyć procesy wymiany w oku, co być może w przyszłości posłuży rozpoczęciu rozpuszczania katarakty, czego świadkiem byłem już niejednokrotnie. Ale przede wszystkim proszę nie przekraczać zalecanej dawki jednorazowej nadtlenku wodoru – 10 kropel na 30–50 ml wody.

Opowiem o tym, jak w ciągu sześciu lat cierpiałam na astmę oskrzelową. Szczególnie w nocy było niedobrze. Nie mogłam spać, dusiłam się. A w tym informatorze przeczytałam wywiad z profesorem I.P. Nieumywakinem. Natychmiast uwierzyłam w nadtlenek wodoru i zaczęłam przyjmować go zgodnie z zaleceniami doktora. No i stał się cud. Męcząca mnie tyle lat astma oskrzelowa rozstała się ze mną. Jakież to szczęście, gdy człowiek się nie dusi i może prowadzić normalne życie!

Walentyna K., Dimitrowgrad

Rok temu moje choroby – reumatyzm, zapalenie stawów i zwyrodnienie stawów kolanowych – doprowadziły mnie do opłakanego stanu. Miałam piekielne bóle, prawie nie mogłam chodzić. Mieszkam sama i nie miał mi kto pomagać, a jakoś trzeba było żyć. Do pracy pełzłam drobnymi kroczkami, niemal tracąc przytomność. Lekarze orzekli, że to nie ich specjalność, i praktycznie odsunęli się ode mnie. Doszedłszy do granic wytrzymałości, poczułam się skazana na powolne umieranie w mękach. Nie spałam prawie cały miesiąc. Żyły napuchły, nogi pokryły się ogromnymi guzami, bez przerwy męczyły mnie dreszcze nie do zniesienia.

I oto gdy śmierć wydawała się już szczęśliwym wybawieniem, wpadł mi w ręce artykuł profesora I. P. Nieumywakina o nadtlenku wodoru. Chwała Bogu, że dowiedziałam się o tym zadziwiającym lekarstwie! Od razu zaczęłam przyjmować nadtlenek wodoru. Rozpoczęła się bardzo powolna, ale ciągła poprawa. Teraz normalnie żyję i pracuję, i mam nadzieję na całkowite wyzdrowienie. By poczuć działanie nadtlenku wodoru należy, jak się okazuje, pić go przez długi czas. Efekt jest niewątpliwy. Cofają się nawet ciężkie dolegliwości, jakie miałam, ale skurcze w nogach odczuwam nadal...

Przeczytałam również artykuł o urządzeniu „Newoton" - trochę drogim, nie na moją kieszeń. I wówczas mnie olśniło: Czymże jest to urządzenie? Zwyczajny kawał magnesu zamknięty w plastiku i zgrzany. Wzięłam śrubokręt, poszłam do kuchni i wykręciłam z szafek kuchennych magnesy. Wzięłam taśmę klejącą i przykleiłam magnes na mięsień łydki. I zawyłam! Przez 10 minut odczuwałam silny ból, który potem zelżał. Przykleiłam drugi magnes na drugą nogę i położyłam się spać. Okazało się, że oprócz tego, że zlikwidowały ból, wykazują działanie moczopędne - całą noc biegałam do toalety. Rano spojrzałam na nogi i krzyknęłam ze zdziwienia. Żadnej opuchlizny! W ciągu jednej nocy znikły wielkie guzy reumatyczne. Przez całą noc nie pojawił się ani jeden skurcz. Spróbowałam większych magnesów, ale zbyt mocno oddziałują, dlatego używajcie małych.

Przy osteochondrozie, artrozach [artroza to reumatyzm stawów, inaczej osteoartretyzm] i bólach w różnych miejscach, magnesy świetnie pomagają. Mój bardzo stary ojciec ledwo kuśtykał: bolały go stawy. Namówiłam go, by przykleił sobie malutkie magnesy. I co? Po trzech dniach zaczął sprawnie chodzić.

Larysa Pietrowna Kalczenko, Pietropawłowsk

Komentarz. Szanowna Laryso Pietrowna! Całkowicie przypadkowo, a raczej intuicyjnie, znalazła Pani metodę, którą opracował Zasłużony Wynalazca Rosji, W.S. Patrasienko, założyciel nowej dziedziny – magnetoterapii oraz służących do niej magnetronów. Rzecz w tym, że pole magnetyczne Ziemi jest obecnie z wielu względów znacznie osłabione, i nasz organizm jeszcze na to nie reaguje. A tymczasem nasze komórki odczuwają już głód energetyczny. Tak więc wynalazca Patrasienko odkrył składnik elektromagnetyczny, który swą strukturą i gradientem odpowiada polu magnetycznemu ziemi i za pomocą swych magnesów naturalnie podnosi poziom brakującej energii w komórkach, które zaczynają prawidłowo pracować. I proszę – nawet zwykłe magnetyczne zamknięcia przy drzwiczkach szafek (zresztą to również jego wynalazek) okazały się cudotwórcze. Rzecz w tym, że magnetrony wywołują efekt reologiczny (ciecz staje się bardziej płynna). W starszym wieku, u mało ruchliwych ludzi, w efekcie zmian krzepliwości tworzą się we krwi asocjaty (grona, kiście) – sklejone składniki krwi złożone z erytrocytów, które – zwiększając swą masę – nie są już w stanie przeniknąć przez błonę komórkową, co doprowadza komórkę do odczuwania głodu, przez co choruje. Magnetrony z kolei dostarczają komórce energii i erytrocyty, rozklejając się, ponownie stają się samodzielne i zaczynają zapewniać dostarczanie substancji odżywczych oraz odprowadzanie produktów przemiany materii.

Nie pomylę się, jeśli powiem, że każdy z nas najbardziej boi się udaru mózgu, ja również. Jakieś 20-25 lat temu zaczęło się u mnie co jakiś czas pojawiać obrzmienie lewego policzka, a przy nacisku na lewy policzek odczuwałam ostry ból. Jednocześnie powstawał stan zapalny lewego ucha i lewej powieki. Zwróciłam się do lekarzy. Otolaryngolog przepisał mi wibromasaż chorego ucha, a na wzrok i w celu zlikwidowania zaczerwienienia powiek zalecono mi zwykły masaż powiek przy pomocy szklanego pręcika. Kiedy po dwóch tygodniach przekonałam się o absolutnej nieskuteczności tych zabiegów, po prostu z nich zrezygnowałam. Straciłam tylko nadaremnie swój czas i niemal przegapiłam moment, kiedy jeszcze można było sobie pomóc. Wówczas to postawiłam sobie diagnozę - stan przedudarowy.

I co teraz robić, jak się ratować? Zauważcie, że był to przełom lat 70. i 80. Zabroniona była joga, oddychanie metodą Butenki, Borys Bołomow znalazł się w więzieniu za swą książkę „Nieśmiertelność - to realne". Odszukiwano dysydentów, wsadzano ich do więzień, a artykuły w „Zdrowiu" były jednakowe, nic niemówiące i stereotypowo prostackie. Prosty umysł mógł się tym udławić, a ja postanowiłam w pojedynkę stawić czoła mojej chorobie!

Pomocny okazał się mój zawód. Jestem inżynierem geologii i większość swego życia spędzałam w warunkach polowych. Mieszkaliśmy w namiotach bez telewizora, był za to stary radioodbiornik „Rekord", za pomocą którego wraz z kolegami słuchaliśmy „Radio Swoboda" [Wolna Europa]. Bezlitośnie zagłuszano tę stację, ale my wśród piekielnego szumu staraliśmy się rozróżniać słowa. Na tej fali o 5.00 rano zawsze podawano (i podaje się do dziś) wszelkie nowinki o zdrowiu nacji amerykańskiej. W jednej z tych audycji usłyszałam, co następuje (przytaczam niemal dosłownie):

„Udar nie zagraża tym, którzy regularnie dbają o zęby przy pomocy nadtlenku wodoru i sody oczyszczonej. Amerykańscy uczeni, którzy w ciągu 10 lat obserwowali dwadzieścia tysięcy pacjentów doszli do wniosku, że to znacznie zmniejsza ryzyko wylewu krwi do mózgu. Przepis jest następujący: **do 0,5 łyżeczki sody oczyszczonej nakapać 5-6 kropel nadtlenku wodoru, wymieszać i nanieść na tampon z gazy lub wacik. Następnie**

tamponem tym czyścić zęby i lekko masować dziąsła przez 4-5 minut. Zabieg ten należy wykonywać rano po przebudzeniu. Można również wieczorem przed snem".

Od tej pory do dnia dzisiejszego wykonuję ten zabieg codziennie. Przecież nadtlenek wodoru jest tani, łatwy w użyciu i dostępny środek, którego używa się do przemywania i dezynfekcji otwartych ran. Stanowi istotną pomoc w leczeniu całkiem poważnych chorób i pozwala opierać się całej armii szkodliwych bakterii i wirusów. Jaki jest rezultat 20 lat wiernej służby nadtlenku wodoru? Zacznę od tego, że w wieku 64 lat mam wszystkie swoje zęby, wzrok stuprocentowy, czytam najdrobniejszy druk w „ZSŻ" bez okularów, dykcję mam wyraźną, pamięć bez zakłóceń, smak, węch i apetyt najwyższej klasy. Nie zostało nawet wspomnienie po chorobie ucha. Jestem bezgranicznie wdzięczna za przypadkowo usłyszaną informację. Zresztą teraz już nasi uczeni twierdzą, że jeśli nasze białe ciałka krwi nie produkowałyby nadtlenku wodoru (który wytwarzają z tlenu atmosferycznego i wody), to Ziemia dawno już należała by wyłącznie do bakterii, wirusów, grzybów, pasożytów i innego świństwa.

Oczywiście, jeśli wraz z zastosowaniem tej recepty wykorzystania nadtlenku wodoru, prowadzić rozsądny tryb życia (a ja to wiem, bo zawód geologa uczy ascetycznego stylu życia), wymagający ciągłego treningu organizmu, to problemy zdrowotne gdzieś znikną.

Mam 64 lata. W ciągu 40 lat bez przerwy miałam wysoki opad erytrocytów (OB 35-40 ml/h) [prawidłowy to 1-2/h]. Zasięgałam porady wszelkich lekarzy, jaka jest tego przyczyna, lecz na próżno. Doszłam do wniosku, że w czasie, gdy rodziłam, zarażono mnie streptokokiem, który znalazł się we krwi. Jak się go pozbyć? Tego lekarze nie wiedzieli. Przeczytawszy artykuły profesora I.P. Nieumywakina o nadtlenku wodoru, natychmiast w niego uwierzyłam i zdecydowałam się działać. Wykonałam oczyszczenie jelit i zaczęłam pić H_2O_2 według schematu. Po 10 dniach zrobiłam analizę krwi i nie uwierzyłam własnym uszom, gdy lekarz powiedział, że wszystkie wyniki są idealne. Nawet EKG było w normie, chociaż wcześniej pokazywało zakłócenia przewodzenia. Radość moja, rzecz jasna, nie miała granic. Cierpiałam 40 lat i w czasie 10 dni stałam się zdrowa.

L. Jaśko, Wołgograd

Mój mąż przeszedł ciężki uraz mózgu. Jest inwalidą I grupy. Niedowład lewej strony ciała, w tym i języka. Utrata zmysłu smaku, węchu, apetytu i zdolności odczuwania sytości, wrażliwości na światło, mowy, pamięci itd. – jest tego wiele. Sama jestem inwalidką II grupy: astma oskrzelowa, stenokardia (wszystkie dolegliwości można by długo, długo wyliczać). Po wywiadzie z Nieumywakinem z dnia 26 marca, zaczęliśmy przyjmować bez konsultacji z lekarzami nadtlenek wodoru 2 razy dziennie po 10 kropel, plus dwie drażetki witaminy C. Zdecydowaliśmy, że nie mamy nic do stracenia. A nuż pomoże? I początek już jest! Mąż zaczął mówić, nie wypada mu już z lewej strony ust pożywienie, pojawiło się uczucie głodu i sytości, zaczął odróżniać, czy coś jest solone czy nie, poprawił się kolor skóry, zaczął zapamiętywać przystanki autobusowe. U mnie też widać postępy, choć nie takie jak u męża.

T. Wierbiło, Krasnojarsk

Mąż ma gruczolaka stercza. Przeszedł dwie operacje. Niezależnie od tego pogorszyło się oddawanie moczu i stan jelit. Po lekturze „ZSŻ" zaczął przyjmować nadtlenek wodoru. Skutek: wartość znacznika PSA [ang. Prostate Specific Antigen, antygen gruczołu krokowego] obniżyła się z 6,6 do 2,0, co stanowi normę. Unormowała się czynność pęcherza moczowego. Nocą rzadko wstaje, a wcześniej zdarzało się to 3-5 razy. Jelita zaczęły normalnie pracować.

L. Grinberg, Saratow

Od 35 roku życia cierpię na nadciśnienie, arytmię, zapalenie żył z towarzyszącym obrzękiem nóg. Po punkcji szpiku kostnego w ciągu 20 lat męczyło mnie zapalenie korzonków. Leczyli mnie, ale i tak chodziłam zgięta jak paragraf. Zaczęłam pić nadtlenek wodoru. Po pierwszym cyklu dziesięciodniowym niczego szczególnego nie zauważyłam. Za to po kolejnych dziesięciu dniach zaczęły się dziać ze mną się cuda. Znikła arytmia, ciśnienie krwi, które nie spadało poniżej 160/100, wyniosło 120/90. Obrzęk ciastowaty nóg z objawami zapalenia żył znikł również. Lecz, co zadziwiające, wyprostowały się plecy i zaczęły czernieć włosy.

Galina Konstantynowna, 65 lat, Moskwa

Dzień dobry, Szanowny Iwanie Pawłowiczu! Otrzymałam Pańską książkę, napisaną wraz z Ludmiłą Stiepanowną [chodzi o książkę „Endoekologia zdrowia"-jest już tłumaczona na język polski]-to skarbnica mądrości i prostych zaleceń, których nie spotkałam w żadnej innej pozycji traktującej o medycynie ludowej. Już osiem miesięcy stosuję się do wszystkich rad i piję nadtlenek wodoru, jak również aplikuję go do nosa. Wielkie Wam za to dzięki! Zapomniałam, co to takiego „ból głowy" (a lekarze bez żadnego wyjaśnienia postawili diagnozę „napięciowy ból głowy") i praktycznie zapomniałam o bólach stawów.

Zaprząta mnie tylko jedna kwestia: czy można przyjmować nadtlenek wodoru w czasie ciąży? Mam 32 lata i nie tracę nadziei na urodzenie jeszcze jednego dziecka.

J. Żurawliowa, Wołgograd

Komentarz. Szanowna Julio! Jak napisano w książce, przyjmowaniu nadtlenku wodoru w zalecanych dawkach nie ma przeciwwskazań. Tym bardziej dotyczy to ciąży, kiedy to dziecku potrzebne jest czyste środowisko, bez patogennej mikroflory, co możliwe jest jedynie dzięki nadtlenkowi wodoru.

Jak wiadomo, informator „ZSŻ" cieszy się dużą popularnością w USA, rzecz jasna wśród osób rosyjskojęzycznych. Co więcej, niektórzy amerykańscy fani nierzadko piszą do Rosji listy. Najaktywniejszy z nich to człowiek, który przeszedł wylew i ukrywa się pod pseudonimem ENGE. Przywołuję fragment z jego materiałów z rubryki „Życie po wylewie", konkretnie – „Pomaga mi nadtlenek wodoru".

Zaznajomiwszy się z materiałami I.P. Nieumywakina o nadtlenku wodoru, zdecydowałem się napisać do Was. Pojawił się u mnie interesujący materiał, potwierdzający teorię i praktykę profesora.

Mnie osobiście 3% roztwór nadtlenku wodoru pomaga. Podam tylko jeden przykład. Po przebytym wylewie pojawiło się u mnie wiele nieprzyjemnych tak zwanych efektów ubocznych, które były skutkiem przepisywanych przez lekarzy preparatów chemicznych. Komplikowało to moją i tak już skomplikowaną sytuację.

Z pomocą nadtlenku wodoru udało mi się uwolnić konkretnie od brodawek, które pojawiły się w bardzo niewygodnym miejscu – w kroczu. Lekarze, do których się zwracałem, zaproponowali ich usunięcie operacyjne. Jednak przewidując powikłania, mogące mieć miejsce w moim opłakanym stanie, zdecydowałem się użyć nadtlenku wodoru.

Przed snem żona pomagała mi nałożyć tampony, wykonane z papierowych serwetek, namoczonych w 3% roztworze nadtlenku wodoru [czyli w nierozcieńczonej wodzie utlenionej] bezpośrednio na zaatakowane miejsca. Pozostawiała je tam do rana. Powtarzałem te zabiegi przez 3 tygodnie. Jakież było moje zdziwienie, kiedy pewnego poranka odkryłem, że wszystkie brodawki znikły. Wcześniej usuwano mi je kilkukrotnie za pomocą przypalania jakimiś urządzeniami, ale pojawiały się znowu w tych samych miejscach.

Co zaś dotyczy stosunku działaczy medycyny oficjalnej do nadtlenku wodoru, to w większości jest to stosunek negatywny. I nie ma się co dziwić - sprzedaż drogich lekarstw jest o wiele bardziej zyskowna, niż sprzedaż nadtlenku wodoru. Poza tym nie zaprzestaje się prób produkowania i sprzedaży lekarstw, za których podstawę służy właśnie nadtlenek wodoru z wszelkimi możliwymi niedziałającymi dodatkami, ale już w cenie wielokrotnie przewyższającej wartość owej podstawy. I, wyobraźcie sobie, że ludzie kupują te śliczne buteleczki i pojemniczki, albowiem cieszą się one popularnością napędzoną za pomocą reklamy (to samo ma miejsce i w Rosji).

Należy zauważyć, że we wszystkich tych produktach zawartość tlenu jest o wiele mniejsza niż w zwyczajnym nadtlenku wodoru (wodzie utlenionej).

Do tego zawartość tlenu to ważny aspekt. Iwan Pietrowicz Pawłow powiedział swego czasu, że życie to ciągła walka z niedotlenieniem. Znane porzekadło uznanego na całym świecie uczonego dotyczy wszystkiego, co żyje na naszej planecie.

Wiadomo, że nadtlenek może działać jak katalizator w plazmie i białych krwinkach. Ma zdolność do przenikania przez błonę komórkową erytrocytów i zaopatrywania ich w dodatkową ilość tlenu.

Zresztą komórki naszego ciała, które walczą z infekcjami, nazywamy granulocytami. Produkują one nadtlenek wodoru i są jakby pierwszą linią obrony przed bakteriami i wirusami.

Obecność w organizmie człowieka cząsteczek nadtlenku wodoru odgrywa ogromną rolę. Uczestniczą one w wielu ważnych dla życia procesach zachodzących w naszym ciele. Nie zamierzając rozwijać tu wykładu z mikrobiologii, chcę tylko nadmienić, że proteiny, karbohydraty, witaminy i minerały, by uczestniczyć w pełnieniu ważnych funkcji życiowych, nieodzownie wymagają obecności nadtlenku wodoru. Nieprzypadkowo w naukowej literaturze medycznej opublikowano ponad sześć tysięcy badań naukowych nad zastosowaniem nadtlenku wodoru, powtarzam - prostego, taniego i w znacznym stopniu wszechstronnego środka. Jednak oficjalna medycyna woli ten fakt przemilczać. Na całego za to reklamuje się szalenie drogie preparaty, których efekt nie został do końca zbadany, a konsekwencje ich zażywania są niejasne.

Zatem życzę Wam zdrowia. I nie śpieszcie się przyjmować lekarstw, nie mając o nich dokładnej i zrozumiałej informacji.

Nadtlenek wodoru to wielkie źródło tlenu atomowego, i do tego uczestniczy on w procesie niszczenia przez komórki krwi szkodliwych bakterii. Właśnie dlatego wciąż płukam usta mieszanką nadtlenku wodoru, i szczerze mówiąc czuję, że mój stan ogólny się poprawił. Oprócz tego, jak już pisałem, udało mi się z pomocą właśnie nadtlenku pozbyć brodawek, które przeszkadzały mi w poruszaniu się, dzięki czemu życie znów się do mnie uśmiechnęło. Teraz jestem w stanie sam robić to, czego nie mogłem wcześniej. Wielkie dzięki redakcji i profesorowi Iwanowi Nieumywakinowi. Popchnęliście mnie do skorzystania w procesie leczenia z nadtlenku wodoru i efekt okazał się na szczęście pozytywny.

Unikalność nadtlenku wodoru polega jeszcze na tym, że można go stosować wraz z inną terapią. Ważne jest tylko, by wiedzieć, że zażywać nadtlenek wodoru należy zawsze osobno, na pusty żołądek, i nigdy nie łączyć go z innymi preparatami...

ENGE, Kalifornia

Niektórzy chorzy w swych listach przytaczają dane o uczuciu dyskomfortu po przyjęciu wewnętrznym nadtlenku wodoru: uczucie ciężaru w żołądku i pulsujący ból. Wywołuje to niepokój, czy nie powstaje owrzodzenie lub rak spowodowany zniszczeniem błony śluzowej żołądka.

Dlatego należy powiedzieć, co następuje: rzeczywiście, nadtlenek wodoru wchodzi w żołądku w reakcję z kwasami tłuszczowymi, tworząc wolne rodniki kwasów tłuszczowych, co stanowi zasadniczy czynnik powodujący wiele chorób. Lecz jak już wiecie, w organizmie tworzy się wiele enzymów, w tym katalaza, która rozkłada nadtlenek wodoru na wodę i tlen atomowy. Lecz w żołądku – w zależności od jego kondycji – enzymów tych jest niewiele, albo nie ma ich wcale.

Jednak jak pisze w swej książce W. Douglas: *W odpowiedzi na tezę japońskich badaczy, negatywnie wyrażających się na temat wewnętrznego zastosowania nadtlenku wodoru, Departament Żywności i Lekarstw w USA oświadczył w 1981 roku, co następuje:*

„Po analizie całości materiałów dotyczących nadtlenku wodoru uważamy, że są one niewystarczające do tego, by zaliczyć nadtlenek wodoru do środków kancerogennych [rakotwórczych],

wywołujących złośliwy nowotwór dwunastnicy".

Z własnego doświadczenia i danych W. Douglasa wnoszę, że dawka dobowa nie przekraczająca 30 kropel, a jednorazowa 10 kropel, jest dawką bezpieczną. Natomiast w razie wystąpienia jakichkolwiek reakcji, należy na jakiś czas przerwać przyjmowanie lub zmniejszyć dawkę. I bardzo ważna rzecz: przyjmowanie nadtlenku wodoru powinno odbywać się zawsze na pusty żołądek, co oznacza 30–40 minut przed jedzeniem i 1,5–2 godzin po posiłku.

Dożylne wprowadzanie nadtlenku wodoru

Należy zwrócić Waszą uwagę na to, że najbardziej wrażliwy na niedotlenienie jest mózg, serce i siatkówka oka. I tutaj na pierwszy plan wychodzi dożylne zastosowanie nadtlenku wodoru. To nie tylko zapewnienie tlenu wskazanym narządom oraz oczyszczenie naczyń, w tym również tętnicy kręgowej, ale również przywrócenie wielu funkcji mózgu i nerwu wzrokowego w jego zaniku, którego, jak wiadomo, nie leczy się, a człowiek ślepnie.

W związku z tym, że praktycznie we wszystkich chorobach organizm żyje w stanie niedotlenienia, pierwsze wprowadzenie dożylne 60 kropli na minutę przeprowadza się w stosunku 2 ml 3% nadtlenku wodoru na 200 ml soli fizjologicznej (0,03%). Jest to swego rodzaju dawka uwrażliwiająca. Następne zabiegi wykonuje się po 5,8 i 10 ml 3% nadtlenku wodoru na 200 ml soli fizjologicznej (0,15–0,20%).

Powtarzając cykl, również należy zaczynać od małych dawek i małego stężenia, a w ciężkich przypadkach chorobowych doprowadzić nawet do 15 ml 3% H_2O_2 na 200 ml soli fizjologicznej.

Ilość iniekcji wykonywanych codziennie zależy od charakteru choroby. W szeregu przypadków już po 3–5 zabiegu występuje znaczna poprawa, ale zasadniczo koniecznych jest 10–12 zabiegów, a nieraz 15–20.

Ponieważ organizm jeszcze nie przechodzi w tryb samodzielnego uzyskiwania H_2O_2 – w tym celu konieczna jest przebudowa całego życia: zmiana nawyków żywieniowych, aktywności fizycznej, oczyszczenie organizmu z zanieczyszczeń itd. – to następnie trzeba wprowadzać H_2O_2 przez jeden tydzień co 1–2 dni, a potem co 3–7 dni, aż do osiągnięcia widocznej poprawy.

W swej praktyce korzystaliśmy z 3% nadtlenku wodoru, przygotowywanego w aptekach do praktyki akuszerskiej, na którym podaje się datę przydatności 15 dni. Ten nadtlenek zawiera mniej ołowiu.

Jednak wielu szuka takiego nadtlenku wodoru i nie znajduje go w aptekach, bo przygotowuje się go tylko dla porodówek. Dlatego korzystajcie z nadtlenku wodoru dostępnego w zwykłych aptekach, nawet jeśli nie podaje się zawartości procentowej, ponieważ sprzedawany jest zawsze w stężeniu 3%.

Zastosowanie dożylne H_2O_2 zazwyczaj wiąże się z użyciem jednorazowego zestawu do płynów perfuzyjnych [perfuzja, łac. *perfusio* – oblewanie, wlewanie: **1)** długotrwałe (ciągłe lub regularne) pompowanie płynu, na przykład krwi, w celach leczniczych do naczyń krwionośnych narządu, części ciała lub całego organizmu; **2)** przepuszczanie roztworu przez narząd odizolowany od reszty układu krwionośnego, narządu lub części ciała; stosowana podczas transplantacji], co wiąże się z określonymi warunkami: podczas wykonywania zabiegu w warunkach ambulatoryjnych lub domowych pacjent musi leżeć, a wlew H_2O_2 odbywa się za pomocą kroplówki.

Podczas prac w kosmonautyce wymagano od nas takich metod i środków, które byłyby proste w zastosowaniu, niezawodne, skuteczne i wykonalne w każdych warunkach. W tym wypadku postąpiliśmy identycznie: H_2O_2 wprowadzamy za pomocą 20-gramowej strzykawki.

A robi się to tak: bierze się 20-gramową strzykawkę, zasysa się **0,3–0,4 ml 3% H_2O_2 na 20 ml soli fizjologicznej**, co daje roztwór 0,06%. Gotową mieszankę wstrzykuje się do żyły powoli, z początku 5, potem 10, 15 i 20 ml, **w czasie nie mniejszym niż 2–3 minuty**. Służy to swego rodzaju przyzwyczajeniu organizmu do dużych dawek tlenu atomowego. Następnie **1 ml 3% nadtlenku wodoru, co daje 0,15%. Potem dawkę tę można zwiększyć do 1,2–1,5 ml na 20 ml soli fizjo-**

logicznej. W ten sposób znacznie upraszcza się wykonanie zabiegu, szczególnie w sytuacji udzielania szybkiej pomocy w dowolnych warunkach.

Oto jeden z wielu listów, opowiadający o doświadczeniu czytelnika w dożylnym stosowaniu nadtlenku wodoru.

Z korespondencji

Przeczytałam w „ZSŻ" artykuł o nadtlenku wodoru i chcę podzielić się swym doświadczeniem.

Mój mąż ciężko chorował na guza mózgu. Męczyły go straszne bóle, środki przeciwbólowe nie pomagały. Jako ostatnią deskę ratunku zaproponowałam mu leczenie nadtlenkiem wodoru. Zgodził się i powiedział: „Czy to nie wszystko jedno, od czego umrę? A nuż pomoże"... Nie ukrywam, że bałam się, bo my lekarze przyzwyczailiśmy się stosować nadtlenek do innych celów.

Zaczęłam wstrzykiwać mu nadtlenek dożylnie - 0,6 ml na 10 cm^3 wody destylowanej. Kiedy krew dostała się do strzykawki, cała jej objętość wypełniła się bąbelkami koloru różowego, lecz ja powolutku kontynuowałam wprowadzanie zawartości do żyły. Wstrząśnięta czekałam, przygotowana na to, że oto mąż umrze mi zaraz na rękach, a ja obciążę duszę grzechem. Z ulgą i zdziwieniem zauważyłam, że u męża powoli przechodził ból głowy i poprawiał się jego stan.

Tatiana Leonidowna

Choruję na stwardnienie rozsiane. Dzięki dożylnemu wprowadzaniu nadtlenku wodoru według zaleceń profesora I. P. Nieumywakina, byłam w stanie bez problemu przejechać 4000 km jako pasażer.

L. Mielnik, Hanty-Mansyjski okręg autonomiczny

Komentarz. Kilka linijek, a ile męki zlikwidował nadtlenek wodoru u chorych, którzy nie byli już potrzebni oficjalnej medycynie.

Podsumowując dane na temat „podziemnego" zastosowania nadtlenku wodoru przez lekarzy zarówno w klinikach, jak i w warunkach domowych, własne obserwacje i setki listów do „ZSŻ" (a są to tysiące chorych głównie na zaniedbane, przewlekłe choroby, którym oficjalna medycyna nie może już pomóc), cisną się na usta następujące słowa: ostrożność lekarzy podczas pierwszych doświadczeń z dożylnym wprowa-

Trzeci Międzynarodowy kongres medycyny ludowej, 10–12.09.2004 r. I. P. Nieumywakinowi wprowadza się dożylnie nadtlenek wodoru bezpośrednio w sali obrad, i to w dawce dwukrotnie przewyższającej zalecaną przez niego. Następnego dnia Iwan Pawłowicz był zgodnie z obietnicą żywy i w pełni zdrowy!

dzaniem nadtlenku wodoru jest zrozumiała. „Wszystko jasne, ale co z pęcherzykami? A jeśli wywołają one embolię (zaczopowanie naczyń)?".

Lecz ten strach szybko mijał i zastępowała go właściwa nowatorom ciekawość, co się stanie w tym lub innym wypadku. Tym bardziej, że pacjenci sami naciskali, twierdząc, że nie mają nic do stracenia i są gotowi na wszystko, byle nie żyć tak jak dotychczas, że to ich ostatnia nadzieja.

Przykładowo według takiego schematu odbywało się stosowanie nadtlenku w najróżniejszych przypadkach chorobowych. Z każdym kolejnym przypadkiem nie stanowiło problemu dla lekarzy użycie nadtlenku wodoru w różnych skojarzeniach – zarówno dożylnie, jak i wewnętrznie, miejscowo, z lewatywami i oczywiście z napromieniowywaniem ultrafioletowym krwi, znacznie poprawiającym skuteczność leczenia.

Jeśli podnosi się temperatura, to po 2–3 zabiegach dożylnego wprowadzenia niewielkiego stężenia i małej ilości nadtlenku wodoru dożylnie – normuje się. Wyjaśnienie takiej reakcji jest proste. Po pierwsze – w wyniku ciągłego przebywania tkanek w stanie hipoksji [niedotlenienia], komórki gwałtownie reagują na możliwość likwidacji deficytu tlenu (podobnie jak w czasie pobytu mieszczucha w lesie po zadymionym miejskim powietrzu).

Po drugie – działanie tlenu atomowego na różnego rodzaju mikroflorę patogenną wywołuje jej niszczenie i wydzielanie przy tym toksycznych substancji, co związane jest z podniesieniem się temperatury ciała (reakcja Herxheimera).

Środki ostrożności podczas dożylnego wprowadzania nadtlenku wodoru

- Przy iniekcji dożylnej nadtlenku wodoru nie wolno go mieszać lub wprowadzać razem z innymi środkami farmakologicznymi, ponieważ wówczas odbywa się ich utlenianie i neutralizacja efektu leczniczego.
- Podczas szybkiego wprowadzenia nadtlenku wodo-

ru możliwe jest powstanie dużej ilości pęcherzyków tlenu. Chociaż nie stanowią one większego niebezpieczeństwa, to w miejscu wprowadzenia nadtlenku wodoru lub wzdłuż naczynia krwionośnego może pojawić się uczucie bólu. Należy wówczas zmniejszyć ilość wprowadzanego nadtlenku wodoru z 50–60 kropel na minutę do 30 kropel lub przerwać zabieg. Podczas pierwszego wstrzykiwania za pomocą strzykawki, wprowadzać wolniej lub przerwać wprowadzanie.

- Nadtlenku wodoru nie wolno wprowadzać dożylnie w stanie zapalnym naczynia krwionośnego.
- Niekiedy obserwuje się zaczerwienienie i ból w miejscu wprowadzenia nadtlenku wodoru, co likwiduje się za pomocą chłodnego kompresu.
- Podczas leczenia nadtlenkiem wodoru wykluczone jest spożycie alkoholu i palenie tytoniu.

Jeszcze raz powtarzam, że podczas wprowadzania nadtlenku wodoru możliwa jest nieprzewidziana reakcja organizmu – podniesienie się temperatury do 40°C, co związane jest z szybkim niszczeniem wszelkiej patogennej mikroflory przez tlen atomowy i wywołaną tym intoksykację.

Właśnie dlatego zabieg ten powinien być wykonywany przez lekarza zaznajomionego z działaniem nadtlenku wodoru w organizmie. Zazwyczaj po 1–3 iniekcji reakcji tej nie obserwuje się, a po takim chwilowym pogorszeniu stanu następuje wyzdrowienie. Po przeprowadzeniu wlewów dożylnych nadtlenku wodoru, nieodzowny jest 1–2 godzinny odpoczynek, powstrzymanie się od gwałtownych ruchów i wypicie herbaty z miodem.

Należy także brać pod uwagę, że przy dożylnym podaniu nadtlenku wodoru za pomocą strzykawki po kilku zabiegach żyła może jakby zgrubieć w reakcji na nadtlenek wodoru. Dlatego po pierwszych kilku zabiegach z użyciem strzykawki należy przejść na zestaw do transfuzji (60 kropli na minutę), co daje wyraźniejszy efekt leczniczy, lub też zastosować metodę rektalną.

Metoda rektalnego wlewu nadtlenku wodoru (lewatywy)

Ponieważ kroplowe dożylne podanie nadtlenku wodoru jest ignorowane przez oficjalną medycynę, nie mówiąc już o wprowadzaniu przy pomocy strzykawki, propagatorzy tej metody znaleźli jeszcze jedną drogę wprowadzania nadtlenku wodoru - przy pomocy lewatywy. Co prawda nigdzie tego nie publikowałem, ale stosuję tę metodę w swej praktyce już ponad 10 lat.

W czasopiśmie „Zdrowy Styl Życia" (nr 8 z 2005 roku) rektalna metoda wprowadzania nadtlenku wodoru jest dokładnie opisana przez E. Pozdjejewą, uczennicę profesora A.T. Ogułowa, zadziwiającego mistrza ludowego, z którym życie zetknęło mnie ponad 15 lat temu na drodze odradzania się tradycyjnej medycyny ludowej. W tym wywiadzie jednak nie podano dawkowania nadtlenku. Metoda ta posiada szereg zalet. Na przykład każdy może ją stosować samodzielnie, bez pomocy specjalistów, ponieważ jest bardzo prosta.

Zestaw do rektalnej aplikacji nadtlenku wodoru. W aptece kupuje się jednorazowy zestaw do transfuzji. Igłę na końcówce wyrzuca się, igłę na przeciwległym końcu zestawu - zostawia. Z jej pomocą podłącza się do zestawu butlę z solą fizjologiczną (również do kupienia w aptece).

Przygotowanie roztworu. Na początku na 200 ml soli fizjologicznej wziąć 5 ml 3% nadtlenku wodoru. Następnie (jeśli nie występują nieprzyjemne odczucia) można zwiększyć ilość nadtlenku do 10 ml, czyli wprowadzany roztwór będzie oscylował wokół wartości od 0,07 do 0,15%.

Nieodzowne warunki. Przed rozpoczęciem zabiegu należy koniecznie oczyścić jelita. Dość łatwym sposobem jest wypicie przed snem duszkiem 80 ml dobrego koniaku z 80 ml oleju rycynowego. Dla lepszego smaku można dodać 80-100 ml kefiru. Sposób ten sprzyja również wydaleniu glist. Dzieciom poniżej 5 roku życia radzę podać 20 ml koniaku i tyle samo rycyny, poniżej 10. roku życia - 40 ml, a poniżej 15. roku życia - 60 ml, z dodatkiem 100 ml kefiru.

Oczyściwszy w ten sposób jelita, powtarzając procedurę przez kolejnych pięć dni, można przystąpić do lewatyw z nadtlenkiem wodoru. Przed każdą lewatywą z nadtlenkiem wodoru należy wykonać zwykłą lewatywę: 2 l przegotowanej wody o temperaturze pokojowej z dodatkiem soku z połowy cytryny i łyżki stołowej octu jabłkowego. W przypadku dzieci należy użyć odpowiednio 2 razy mniej wszystkich składników.

Wlewanie roztworu. Przesmarować końcówkę wazeliną i głęboko wprowadzić do jelita prostego. Położyć się wygodnie na boku. Następnie za pomocą plastikowego zaworu regulujemy tempo podawania roztworu z szybkością 60 kropel na minutę. Przed wprowadzeniem podgrzewamy roztwór do temperatury 36–37°C.

Dzieciom wlewa się mniejszą ilość: do 8. roku życia – 100 ml, do 15. – 200 ml.

Lewatywy robić co drugi dzień, 9–12 zabiegów. Po upływie 2–3 miesięcy powtórzyć. Przy wrzodziejącym zapaleniu okrężnicy zabieg wykonywać z mniejszą objętością: dorośli – 100–150 ml, dzieci – 50–75 ml.

Uwaga! Po 3–4 zabiegach możliwe jest nieznaczne podwyższenie temperatury, osłabienie, jak również wymioty. Jest to związane z uśmierceniem wielu pasożytów, przez co wzrasta ogólna intoksykacja organizmu. Nie ma w tym nic strasznego – powinniście po prostu pić przez jakiś czas więcej lekko osolonej wody, soku z jabłek, różnych sorbentów [pochłaniaczy toksyn].

Powyższa metoda okazuje się bardzo skuteczna w szeregu wypadków – na przykład w leczeniu wszelkich form dysbakteriozy, kandydoz, infekcji wirusowych, ureoplazmozy [choroba wywoływana przez wewnątrzkomórkowego pasożyta *Ureaplasma urealiticum*], zachorowań dróg moczowo-płciowych u mężczyzn i kobiet), arteriosklerozy, zapalenia gruczołu krokowego, gruczolaków [po angielsku *adenoma*, łagodny nowotwór rozwijający się z tkanki nabłonkowej, np. jelita grubego], zapalenia przydatków, chorób płuc, torbieli [cyst], mięśniaków, polipów, różnych chorób nerek, wątroby, trzustki, chorób układu nerwowego, w tym stwardnienia rozsianego i choroby Parkinsona, których źródła należy upatrywać przede wszystkim w niewłaściwie działającym układzie trawienno-jelitowym, a szczególnie w pojawieniu się zaparć, co stanowi pierwotną przyczynę powstania tych chorób.

Nie zaszkodzi przypomnieć, że przeprowadzenie tego zabiegu służyć będzie jako dobry proces przygotowawczo-normalizujący funkcje reprodukcyjne (przygotowanie do ciąży), przywrócenie prawidłowego działania wszystkich narządów okolicy miednicy i krążenia krwi oraz limfy.

Chociaż doktor E. Pozdiejewa uważa, że obecność procesów rakowych stanowi przeciwwskazanie dla zastosowania tej metody, to praktyka pokazuje, iż tlen jest groźną bronią niszczącą komórki nowotworowe. Przecież komórki rakowe powstają w środowisku beztlenowym oraz w zaśmieconym, brudnym organizmie. Jeśli więc organizm – począwszy od układu pokarmowego – jest czysty wewnątrz, to w konsekwencji komórki w wystarczającym stopniu nasycają się tlenem, a komórki nowotworowe w zasadzie nie są w stanie się ujawnić.

Nawet w zaniedbanych chorobach onkologicznych zalecam tę metodę, lecz używam mikrolewatyw o objętości 120–130 ml z dodatkiem 1–2 łyżeczek do herbaty nadtlenku wodoru.

Teraz więc, w odróżnieniu od lekarzy, jesteście już uświadomieni na tyle, by zrozumieć, że nadtlenek wodoru to dla organizmu substancja naturalna, ponieważ jest wytwarzana przez sam organim, i nie należy oczekiwać niczego złego po wprowadzeniu jej dodatkowej ilości. Należy jedynie zachować ostrożność podczas dawkowania.

Według niektórych doniesień w USA, w celu poprawienia smaku niektórych soków z porzeczek i z borówki dodaje się do nich roztwór nadtlenku wodoru w stężeniu 0,1%.

Nie zapominajcie, że sam nadtlenek wodoru jest świetnym środkiem dezynfekującym. Jedna łyżeczka wody utlenionej (3% H_2O_2) na 1 l wody czyni wodę całkowicie sterylną.

Warunki przechowywania i użycia nadtlenku wodoru

Najlepiej przechowywać nadtlenek wodoru w ciemnym naczyniu. Praktyczne doświadczenie pracy z nadtlenkiem wodoru dowodzi jednak, że wrze on w temperaturze 67°C, przy czym jego właściwości zostają zachowane. Co za tym idzie, nadtlenek wodoru nie traci swych właściwości nawet podczas przechowywania w jasnym naczyniu (co można zresztą zaobserwować już w aptekach). Musi być to jednak naczynie hermetycznie zamknięte i postawione w ciemnym miejscu, ponieważ w kontakcie z powietrzem nadtlenek wodoru szybko ulega rozkładowi.

Jeśli zachowane są wszystkie wymagania dotyczące przechowywania, nadtlenek wodoru może być przydatny do użycia przez okres do 2 lat.

Potrzebną ilość nadtlenku wodoru należy pobierać w następujący sposób: wziąć 1 lub 2 gramową strzykawkę, odkręcić zewnętrzną zakrętkę buteleczki z nadtlenkiem wodoru i, nie otwierając wewnętrznej, przekłuć ją igłą i napełnić strzykawkę nadtlenkiem w pożądanym stopniu. W ten sposób dłużej zachowacie jego stężenie.

Wskazania do zastosowania nadtlenku wodoru

W. Douglas w swej książce „Uzdrawiające właściwości nadtlenku wodoru" przytacza materiały świadczące o tym, że wśród istniejących obecnie zachorowań praktycznie nie występują takie, w przebiegu których nie można by zastosować nadtlenku wodoru.

Ze swej strony jeszcze raz podkreślę, że nadtlenek wodoru jest nieodzownym **mechanizmem regulacyjnym w zakłóceniach procesów wymiany w organizmie** – niezależnie od ich natury. Niech to będzie zakłócenie w układzie sercowo-naczyniowym, oddechowym, nerwowym, endokrynologicznym [wewnątrzwydzielniczym, hormonalnym] lub jakimś innym. Różnią się jedynie schematy leczenia.

W początkowych stadiach zachorowania wystarczy 3–5 zabiegów dożylnego wlewania H_2O_2, by osiągnąć efekt leczniczy, a w przewlekłych – od 10 do 20 zabiegów ze stopniowym zwiększaniem czasu pomiędzy nimi: co drugi dzień (przez 2–3 tygodnie), raz w tygodniu (2–3 razy).

Ponieważ nadtlenek wodoru zabija wszelką patogenną mikroflorę, używa się go **w dowolnej infekcji wirusowej, chorobach grzybiczych, infekcjach ropnych, dysbakteriozie jelit** oraz tak groźnej chorobie, jaką jest kandydoza.

Nadtlenek wodoru wykazuje szczególną aktywność we wszelkich nieprawidłowościach układu sercowo-naczyniowego, takich jak: chorób naczyń w mózgu, naczyń obwodowych (cerebrastenia, czyli osłabienie naczyń obwodowych w mózgu, stwardnienie rozsiane, choroba Parkinsona, choroba Alzheimera), we wszystkich objawach patologicznych obserwowanych w okolicy serca (stenokardia, niedokrwienie, zawał – również w najostrzejszej fazie), przy żylakowatym rozszerzeniu żył, zakrzepowym zapaleniu żył, przy udarze niedokrwiennym i krwotocznym [wylewie] oraz w zarostowym zapaleniu tętnic i innych.

Dość dobre rezultaty przynosi stosowanie nadtlenku wodoru w przebiegu cukrzycy nieinsulinozależnej [typu II] i wykazuje pozytywną dynamikę w cukrzycy insulinozależnej [typu I].

Rzecz jasna często zadaje mi się pytanie: czy rzeczywiście nadtlenek wodoru może wyleczyć raka?

Leczenie chorych na raka to skomplikowany proces, który zależy od stopnia rozwoju nowotworu i jego lokalizacji. Zastosowanie przez oficjalną medycynę chemioterapii i radioterapii było spowodowane przeświadczeniem, jakoby komórka rakowa była wrażliwsza od zdrowej na tego rodzaju oddziaływanie i że zahamuje to jej wzrost. Dowodzono również, że komórka rakowa rozmnaża się znacznie szybciej niż zdrowa. Jednak ostatnie badania dowiodły, że komórka rakowa dzieli się wolniej od zdrowej. Przecież zdrowe komórki dzielą się z szybkością ich zużywania – tyle, ile ich obumiera, tyle również powstaje. Natomiast komórka rakowa po prostu nie podlega w tej kwestii kontroli i nowa komórka powstaje (w swoim tempie) odrobinę szybciej niż obumiera stara.

Właśnie dlatego powstaje guz nowotworowy, tym bardziej, że po naświetlaniu gwałtownie wzrasta w organizmie ilość wolnych rodników, co samo w sobie sprzyja powstawaniu nowotworu (N. Emanuel).

Kryzys medycyny w podejściu do leczenia chorych na nowotwory leży – podobnie jak i w innych jej dziedzinach – w likwidowaniu symptomów drogą chirurgiczną, chemiczną lub radioterapeutyczną, zamiast poszukiwania przyczyn ich powstania. Jak pokazuje praktyka, w większości przypadków nie przynosi to rezultatów.

Ani wewnętrzne zastosowanie nadtlenku wodoru, ani podawanie dożylne nie stanowią metody leczenia raka. Jednak ponieważ rak powstaje tylko w środowisku beztlenowym, a nadtlenek wodoru likwiduje właśnie to zjawisko, przy chorobach onkologicznych może być najefektywniejszym wspomożeniem leczenia – jeszcze lepiej w połączeniu z metodami medycyny oficjalnej, lecz niestosowanymi w tak zabójczych dla komórek dawkach.

Interwencja chirurgiczna przynosi efekt tylko w początkowej fazie pojawienia się nowotworu, choć i tak ostatnimi czasy praktycy zaczęli zauważać, że otwiera ona dostęp aktywnemu tlenowi i uruchamia tworzenie się większej ilości wolnych rodników, co swoją drogą sprzyja powstawaniu przerzutów.

Należy mieć na uwadze, że o ile zastosowanie nadtlenku wodoru w ciężkich stanach przynosi efekt po kilku zabiegach, to choroby przewlekłe, takie jak astma oskrzelowa, wymagają długiego czasu przyjmowania nadtlenku wodoru – na przykład 1–2 razy w tygodniu w postaci okresowego przyjmowania wewnętrznego oraz stosowania miejscowego. Poprawia się reologia (ciekłość) krwi i, oczywiście, zaopatrzenie chorych komórek w tlen.

To samo można osiągnąć przy pomocy nakłuwania guza nadtlenkiem wodoru lub wprowadzania nadtlenku w miejsce ulokowania nowotworu. Obserwowano przypadki, kiedy w warunkach znacznie zmniejszonych dawek chemio- lub radioterapii, przeprowadzanych w połączeniu z dożylnym wlewem nadtlenku wodoru i jednoczesnym naświetlaniem krwi promieniowaniem ultrafioletowym, osiągało się lepszy efekt z mniejszymi powikłaniami chemio- i radioterapii, co oczywiście zasługuje na szczególną uwagę.

Możliwe jest też zewnętrzne oddziaływanie na nowotwór (znajdujący się na powierzchni ciała) metodą nakładania kompresu z nierozcieńczonego nadtlenku wodoru - początkowo w stężeniu 3% [woda utleniona dostępna w handlu], a następnie zwiększania stężenia do 15-30% nadtlenku wodoru. Zachodzi przy tym wypalanie guza, po czym na jego miejscu nie pozostają żadne oznaki, nawet jeśli guz miał charakter krwawiący. Przyniesie to dobry efekt szczególnie przy tak ciężkiej chorobie, jak czerniak złośliwy.

Powtarzam raz jeszcze: pomyślny skutek zastosowania nadtlenku wodoru w przebiegu chorób nowotworowych wyjaśnić można tym, że komórka rakowa może żyć tylko w środowisku beztlenowym i tlen atomowy jest dla niej zabójczy. Jak pokazała praktyka, terapia przeciwrakowa połączona z zastosowaniem nadtlenku wodoru jest skuteczniejsza niż bez niego.

Nadtlenek wodoru jest również **skuteczny w leczeniu wszelkich stanów obniżonej odporności, takich jak toczeń rumieniowaty, reumatoidalne zapalenie stawów i wszelkie objawy alergiczne.**

Ileż nieprzyjemności niesie ze sobą nieprzyjemny zapach z ust, którego przyczyną są **choroby zębów, dysfunkcja przewodu pokarmowego, choroby nosa i nosogardła.** Zwykłe płukanie 0,1-0,3% nadtlenkiem wodoru uwalnia od tej dolegliwości.

Życie nie jest wolne od upadków i złamań - szczególnie w starszym wieku. I tu, **w celu poprawienia regeneracji i szybszego zrastania złamań**, pomocny okaże się nadtlenek wodoru.

Nie należy tylko zapominać, że powstawanie w organizmie nadtlenku wodoru i, odpowiednio, uzyskanie z niego tlenu atomowego zależy od układu immunologicznego, którego ¾ składników znajduje się w układzie pokarmowo-jelitowym, w którym, jak już wykazano, pałeczki jelitowe same wytwarzają nadtlenek wodoru.

Zatem zarówno układ odpornościowy, jak i układ pokarmowo-jelitowy wymagają ciągłej troski: nieodzowne jest stałe zachowywanie czystości całego układu pokarmowego, o czym już była mowa w niniejszej książce.

W organizmie wszystko jest ze sobą powiązane, zależne od siebie nawzajem, jedno zależy od drugiego i wszystko powinno działać jak w dobrze wyregulowanym mechanizmie. W przeciwnym wypadku choroba jest nieunikniona.

Dokładniej o tym, czym jest człowiek jako cząstka Stworzenia, o przyczynach powstawania chorób i metodach ich leczenia i, co najistotniejsze, profilaktyki, czytajcie w książce „Endoekologia zdrowia", napisanej przeze mnie wraz z małżonką, Ludmiłą Stiepanowną Nieumywakiną. Zdaniem wielu czytelników jest to jedna z najlepszych pozycji naświetlających kwestie medycyny ludowej.

Dla wewnętrznego zastosowania nadtlenku wodoru nie ma przeciwwskazań.

Stanowczym **przeciwwskazaniem dla dożylnego i dotętniczego zastosowania nadtlenku wodoru jest** zdaniem Iżewskiej Akademii Medycznej **afibrynogenemia** [wrodzony niedobór fibrynogenu, I czynnika krzepliwości krwi], **zaburzenia przepuszczalności błony komórkowej, purpura trombocytopeniczna** [plamica małopłytkowa], **hemofilia, anemia hemolityczna, zakrzepica wewnątrznaczyniowa** [syndrom zakrzepowo krwotoczny].

W pozostałych przypadkach przeciwwskazań dla podania dożylnego i dotętniczego nadtlenku wodoru w zalecanych dawkach i z przestrzeganiem metodyki nie ma. Chcę jednak ostrzec: dożylny wariant użycia nadtlenku wodoru wskazany jest tylko pod obserwacją lekarzy. Niektórzy z nich – a jest ich coraz więcej – na własne ryzyko przeprowadzają tego typu zabiegi. Mogę Wam, drodzy Czytelnicy, tylko poradzić, byście szukali takich lekarzy.

O ile ozon to dość czysta postać tlenu (tlen wieloatomowy), która jest szeroko stosowana w medycynie, to nadtlenek wodoru wywołuje u oficjalnej medycyny sprzeciw. Po pierwsze: mówi się, że podczas aplikowania nadtlenku wodoru powstają pęcherzyki gazu (tlen atomowy), które mają rzekomo zatykać naczynia (wylew). Na ten temat już się wypowiadałem. Lekarze zwyczajnie nie chcą wniknąć w działanie nadtlenku wodoru i prezentują elementarne niezrozumienie przedmiotu.

Po drugie: szkodliwość stosowania nadtlenku wodoru uzasadniają oni dużą zawartością ołowiu i cynku. Oczywiście 3% nadtlenek wodoru sprzedawany w aptekach nie jest całkiem czysty i zawiera te metale, o czym już wiecie. Możliwe, że w wywiadzie dla „Zdrowego Stylu Życia" i w poprzednim wydaniu książki „Nadtlenek wodoru" byłem w swych wypowiedziach zbyt kategoryczny, twierdząc, że sprzedawany w aptekach nadtlenek wodoru można zażywać na przestrzeni całego życia.

Wiadomo, że sole metali ciężkich, nawet w małych dawkach, mogą kumulować się w organizmie. Właściwością oddziaływania ołowiu na organizm jest porażenie układu nerwowego, szczególnie u dzieci, ponieważ organiczne związki ołowiu w organizmie przekształcają się w nieorganiczne, co wywołuje objawy przewlekłej intoksykacji.

Może temu towarzyszyć szybka męczliwość, drażliwość, bezsenność, możliwe są bóle mięśni, stawów, niewielkie drętwienie palców rąk. Objawy te nasilają się wraz z zanieczyszczeniem organizmu, co można zaobserwować praktycznie u wszystkich ludzi, którzy nie prowadzą aktywnego trybu życia i nie przestrzegają prawidłowego żywienia.

Oto dlaczego u naszych pacjentów, którym według naszej technologii przeprowadzono oczyszczanie organizmu, w ciągu ubiegłych 3–4 lat intensywnego stosowania nadtlenku wodoru nie obserwowaliśmy żadnych objawów charakterystycznych dla nagromadzenia ołowiu. Oczywiście zalecamy robienie przerw w przyjmowaniu nadtlenku, ponieważ czysty organizm zaczyna sam produkować nadtlenek wodoru.

Istnieją doniesienia, że William Douglas stosuje w celu oczyszczenia nadtlenku z ołowiu kosztowny aparat, co dodatkowo zwiększa autorytet nadtlenku wodoru. Wątpliwe, czy przedstawiciele naszej oficjalnej medycyny zdecydowali by się na coś takiego, bo nawet po kosztownym oczyszczeniu z ołowiu, nadtlenek i tak będzie wielokrotnie tańszym i skuteczniejszym środkiem niż wiele lekarstw i operacji. Z chęci zysku zrobią oni wszystko w celu zdyskredytowania tej metody.

A przecież można by specjalnie przygotowywać wysoko oczyszczony nadtlenek wodoru, który niemal nie zawierałby ołowiu. Nie wykluczam, że ktoś ze świata biznesu może na tym skorzystać i za ciężkie pieniądze będzie oferował tę metodę przywracania zdrowia. Tylko nie zrobią tego ci, którzy powinni być odpowiedzialni za zdrowie narodu. Oni nie potrzebują zbędnych kłopotów.

Jeśli chodzi o iniekcję dożylną nadtlenku wodoru za pomocą strzykawki, to – jak wynika z naszej wieloletniej praktyki – metoda ta jest dobra w udzielaniu szybkiej pomocy medycznej w skrajnych wypadkach, ponieważ przy długotrwałym stosowaniu można zaobserwować zapalenie żył, które zmniejsza się przy użyciu chłodnych kompresów. Lecz gdy tylko pojawi się taka możliwość, należy przejść na zastosowanie wlewu przy użyciu kroplówki. Również wlew rektalny jest mu w praktyce równoważny.

Kończąc ten rozdział, pragnę raz jeszcze podkreślić, że zasadnicza rola wszystkich procesów fizjologicznych w organizmie zależy od tlenu atomowego. Jeśli zostanie wynaleziony przyrząd określający w tkankach optymalny poziom tlenu atomowego, a tym bardziej automatycznie utrzymujący go, to uczyni to człowieka zdrowym, a 90% medycyny i farmakologii okaże się zbędne.

Woda – podstawa życia

NIE wiem, co stanowi tego przyczynę, ale z pola widzenia współczesnej ochrony zdrowia całkowicie zniknął uniwersalny środek, jakim jest woda – ten ciekły „taśmociąg", którego rola i znaczenie w życiu człowieka jest nie do przecenienia. Od jakości pracy tego ciekłego „taśmociągu", jako podstawowego źródła energii, zależy całe nasze życie. Ową jakość pracy można określić za pomocą struktury, czystości, płynności i aktywności biologicznej.

Oto dlaczego w swoich ostatnich książkach staram się wypełnić tę lukę i w pierwszej kolejności zwrócić uwagę Waszą i lekarzy na wodę. A niestety lekarze, skupiwszy się na stosowaniu chemicznych lekarstw, nie włączają do leczniczego arsenału tak mocnego naturalnego środka. Czy przyczyna nie tkwi w tym, że na nadtlenku wodoru i wodzie nie sposób wiele zarobić, nie osiągnie się żadnego zysku, a zdrowie narodu tak naprawdę mało kogo obecnie interesuje? Jak można poważnie odnosić się do tego, że od lekarzy wymaga się, by leczyli chorych w oparciu o coraz droższe lekarstwa, do tego pochodzące zza oceanu, jednocześnie uzależniając ich wynagrodzenie od rezultatów leczenia? Takich lekarstw mamy już na naszym rynku ponad 80%. Wychodzi więc na to, że pieniądze przeznaczone na ochronę zdrowia będą skierowane nie na rodzimy przemysł farmakologiczny, który zawsze był najlepszy na świecie, tylko na rozwój innych krajów.

Rozsądni ludzie dawno zauważają, że podobne reformy, szczególnie w zakresie opieki zdrowotnej, doprowadzają nas do tego, że zdrowych ludzi w naszym kraju będzie coraz mniej, chorych nie będzie miał kto leczyć, a starych kto karmić.

Przecież dla nikogo nie jest tajemnicą, że większości ludzi nie stać na leczenie w drogich centrach medycznych, gdzie jeden cykl zabiegów kosztuje 10 000 rubli [ok. 1 000 zł] i więcej, a stawy bolą i w krzyżu strzyka. Wizyta u stomatologa też nie jest tania – jedna plomba to koszt ok. 1000 rubli. A już nie daj Bóg, by konieczna była operacja – jeśli nawet pomogą krewni, to potem chory musi oddawać dług przez kilka lat.

Dlatego nie sposób nie dziwić się krótkowzroczności tych, od których zależy zdrowie narodu. A zdrowie narodu to pojęcie złożone, w którym mieści się zespół czynników socjalnych, ekonomicznych i innych, które faktycznie zostały w kraju zburzone. Doprowadziło to do ciągłego napięcia psychologicznego u ludzi i do niepewności dnia jutrzejszego, gdy brak programów rządowych ukierunkowanych na to, by w pierwszej kolejności dbać o zdrowie ludzi – najważniejszego bogactwa narodowego.

Wybaczcie tę obszerną dygresję, lecz nagromadziło się to we mnie... A teraz pomówmy o wodzie...

Trzeba powiedzieć, że wszystkie procesy wymiany, dostawę substancji odżywczych i wydalanie produktów przemiany materii komórek wykonuje płynny „taśmociąg". W tej sferze, jak w żadnej innej, musi być przestrzegane prawo zachowania energii: ile zużyto, tyle powinno się uzupełnić.

Jeśli organizm w ciągu doby traci 2–2,5 l płynu, to tyle samo musi być w niego wlane, a nawet więcej. W przeciwnym razie nastąpi odwodnienie organizmu, które doprowadzi najpierw do zmian czynnościowych, a potem patologicznych.

Dużą rolę odgrywa nie tylko ilość, ale także jakość wody. By używać mniej więcej czystej wody, rozwinął się obecnie cały przemysł. To prawda, że oczyszczalnie oczyszczają wodę głównie z naturalnych zanieczyszczeń, usuwając jedynie domieszki wielkocząsteczkowe, natomiast usunięcie lub neutralizację najbardziej toksycznych zanieczyszczeń małocząsteczkowych zazwyczaj się pomija. Obserwujemy tu jeden z wyraźnych paradoksów tak zwanej cywilizacji: najpierw człowiek robi wszystko, by zepsuć bogactwo naturalne, a potem poszukuje, często na próżno, dróg naprawy skutków swych czynów.

W odróżnieniu od krajów zachodnich, gdzie w celu dezynfekcji ozonuje się wodę, u nas się ją chloruje, co jest szkodliwe dla zdrowia. Chlor, łącząc się z substancjami organicznymi, tworzy truciznę – swego rodzaju pochodną dioksyny. I chociaż jest tego mało, stopniowo gromadząc się w organizmie, sprzyja jego zatruciu. Dodatkowo chlor wywołuje korozję rur. Dlatego woda, którą pijemy, jest jeszcze i rdzawa.

Woda zawiera dużo soli wapnia, które podczas wrzenia wytrącają nierozpuszczalny osad (w czajniku powstaje osad koloru żółtego, a w przypadku soli żelaza – burego). Spożywając kawę czy herbatę sporządzone na takiej wodzie, sole te wprowadzamy do organizmu, a to sprzyja jego zanieczyszczeniu oraz, odpowiednio, różnym dolegliwościom: arteriosklerozie, artrozie, osteochondrozie, kamieniom w wątrobie i nerkach itp.

Jednak sama tylko czystość wody (w większym lub mniejszym stopniu) to za mało dla żywego organizmu. Naturalna woda to chaotyczny zbiór cząsteczek. By zaczęła ona działać w organizmie, należy jej nadać określoną formę strukturalną, matrycę, przypominającą strukturę lodu. Jedynie taka woda może być nośnikiem energii.

Zważywszy, że nasz organizm, podobnie jak wszystkie organizmy żywe, w tym zarazki i wirusy, składa się w 2/3 z wody, utrzymanie stałości środowiska wewnętrznego, w tym wodnego, jest najważniejszym czynnikiem życia. Jego naruszenie prowadzi do rozwoju chorób.

W przyrodzie istnieje około 50 rodzajów stanu wody, które można odróżnić po formie krystalicznej: śnieżynki, sople, kulki, itp. Ważne by wiedzieć, że informacja biologiczna – „pamięć" wody – znajduje się właśnie w strukturach krystalicznych. Najbardziej naturalna dla organizmu woda, zawarta jest w pokarmie pochodzenia roślinnego: sokach, (rzecz jasna naturalnych!) i owocach. Takimi samymi właściwościami dysponuje woda topiona, o której będzie jeszcze mowa dalej.

Obecnie wiele osób, niezależnie od stanu swego organizmu, namiętnie pija wodę mineralną. Jednak bywają różne wody mineralne. Woda mineralna może zawierać zarówno sole nieorganiczne, jak i organiczne o odczynie zasadowym lub kwasowym, substancje aktywne biologicznie, a także wydobywający się z głębin Ziemi dwutlenek węgla. Może być również naładowana polami elektromagnetycznymi lub innymi. Dlatego każda woda mineralna ma swoje przeznaczenie i przeciwwskazania.

W szeregu wypadków rzeczywiście określona woda mineralna pomoże Wam poprawić procesy wymiany w organizmie, przywrócić równowagę kwasowo-zasadową, unormować czynności układu pokarmowego itp. Jednocześnie bezmyślne korzystanie z dowolnej wody mineralnej pogorszy stan zdrowia, szczególnie przy długotrwałym jej piciu.

Znany entuzjasta zdrowego stylu życia, Paul Bregg, pił po pięćdziesiątce wodę destylowaną i doradzał ją innym. Moim zdaniem nie należy tego robić. Oto dlaczego: w naturalnej wodzie, mimo że w minimalnych ilościach, zawarte są ważne dla organizmu domieszki, energia – tak zwana prana, a w wodzie destylowanej już nie [to samo tyczy się wody z bardzo obecnie popularnych filtrów działających na zasadzie osmozy odwróconej].

Wielu używa wyłącznie wody przegotowanej. Lecz jeśli wziąć pod uwagę, że woda jest oczyszczana, jak powiedziałem wcześniej, za pomocą chloru, to okazuje się to niezbyt dobrym wyjściem. Podczas przegotowywania szkodliwe właściwości chloru tylko się zwiększają, a on przechodzi w trihalometan, substancję kancerogenną [rakotwórczą], która zostaje na przykład wchłonięta podczas kąpieli w wannie przez pozbawioną naturalnego tłuszczu i wysuszoną przez mydło i szampon skórę. Co zatem robić?

Za najkorzystniejszą uważana jest woda topiona. Przygotowuje się ją w następujący sposób: wodę podgrzewa się do stanu „białego wrzątku", kiedy jeszcze nie wrze, a następuje już intensywne pozbywanie się gazów. Taką wodę należy odstawić z palnika do zlewu i pod strumieniem chłodnej wody ostudzić – im szybciej, tym lepiej. Taka woda już przybrała formę strukturalną. Lecz aby podnieść jej efekt zdrowotny i leczniczy, trzeba ją koniecznie umieścić w lodówce, zamrozić, a następnie roztopić – i dopiero wówczas pić.

To jednak nie wszystko. Woda zawiera deuter oraz domieszki metali i substancji chemicznych. Deuteru, będącego źródłem reakcji jądrowych, jest w wodzie niewiele, około 10g na 1t wody. Pozbyć się deuteru możemy w następujący sposób: kiedy woda przestygnie do temperatury 3,8–3,5°C, na ściankach rondelka, w którym znajduje się woda, powstaje jakby skórka z lodu (jest to punkt zamarzania deuteru). W tym momencie należy wodę zlać, a lód wyrzucić. Zlaną wodę należy ponownie zamrozić w ¾ jej objętości.

Zazwyczaj woda zaczyna zamarzać od zewnętrznych krawędzi, a w centrum pozostaje kałuża, w której właśnie znajdują się wszystkie szkodliwe substancje. Dlatego trzeba ją wylać. Jeśli przepuścicie moment kałuży i woda całkiem zamarznie, nie martwcie się. Weźcie wrzątek i maleńkim strumieniem lejcie pośrodku. To, co się stopi, wylejcie. Pozostałej części pozwólcie się roztopić. I to jest właśnie zdrowa woda.

Właśnie taką wodę pijają „matuzalemowie" w górach, by przedłużyć życie. Taką wodę piją ptaki, które pokonują ogromne odległości. W niej znajdują się minerały w formie ujemnie naładowanych koloidów, co czyni je nasyconymi energetycznie. O ile latem przygotowanie takiej wody nastręcza określone trudności, to zimą – szczególnie w środkowym pasie Rosji albo na Syberii – nie wymaga to wielkiego wysiłku i nie zajmuje wiele czasu.

Wodę przed spożyciem warto dodatkowo oczyścić. Proponuje się w tym celu rozmaite urządzenia filtrujące. Jednak najbardziej naturalnymi spośród nich są **magnetrony W.S. Patrasienki**, jednego z wiodących biofizyków kraju. Jego magnetrony różnią się od odpowiedników nie tylko prostotą konstrukcyjną całego urządzenia, która zapewnia wyjątkowo stabilną pracę. Nie wykazują zmienności parametrów przy powtarzaniu pomiarów. Wykonane są na bazie ferrytowych magnesów stałych i nie wymagają ani źródła energii, ani regulacji, ani specjalnie przygotowanego personelu do obsługi.

Podczas zamrażania wszystkie zanieczyszczenia skupiają się w wewnętrznej części. Tymczasem przy zastosowaniu magnetronów woda staje się dipolem i wyrzuca zanieczyszczenia na zewnątrz. Podczas wnikania wody do organizmu przez błony komórkowe, zanieczyszczenia pozostaną na zewnątrz, na ściankach jelit, a następnie zostaną wydalone.

Najważniejsze w magnetronach jest to, że strukturą i gradientem dokładnie odpowiadają one polu magnetycznemu Ziemi, bez którego nie może żyć nasz organizm.

Udowodniono, że każda komórka żywego organizmu jest generatorem promieniowania elektromagnetycznego, którego wielkość uzależniona jest od rozmiarów komórki. Kombinacja stałego i zmiennego pola magnetycznego wpływa na przenikanie jonów przez błonę komórkową.

Efekt namagnesowania magnetronami osiąga się na zasadzie rezonansu jądrowo-magnetycznego (zwiększenie pojemności energetycznej atomów) i magnetostrykcji (zmiana objętości przy namagnesowaniu). W konsekwencji ma miejsce dyspergacja – rozdrobnienie dużych asocjatów molekularnych [„sklejonych" cząsteczek], powstających w rezultacie odwodnienia organizmu, przywrócenie jednorodności strukturalnej, poprawa płynności (reologii) i zdolności rozpuszczających. Dlatego właśnie magnetrony W. Patrasienko, jak żadne inne urządzenie tego typu, zapewniają normalizację pracy płynnego „taśmociągu", a co za tym idzie – wszystkich narządów i układów w organizmie.

Oczyszczanie wody w warunkach domowych

Do 1 litra zwykłej wody dodaj po **1–2 łyżeczki octu jabłkowego, miodu i 3–5 kropel jodu**. Mikroorganizmy nie tylko nie są w stanie się rozmnażać w tak kwaśnym środowisku, ale wręcz obumierają po upływie kilku minut.

Można również postąpić następująco: **umieścić w wodzie niewielki kawałek krzemienia.** Woda stanie się czysta po upływie 3-5 dni. Najniższej warstwy wody nie wolno spożywać.

Skorupka jaja, pozbawiona wewnętrznej błonki i trochę opalona na ogniu (albo skorupka jaja gotowanego na twardo), **uczyni wodę** nie tylko **krystaliczne czystą**, ale **i nasyci ją jonami wapnia**. Przy okazji zbierają się sole metali ciężkich, dezaktywuje się chlor, giną szkodliwe organizmy, a woda zmienia odczyn na zasadowy, w którym tlen przyswaja się znacznie lepiej. Na 3 litry wody wystarczą skorupki z 2 jajek, przy czym można zalewać te skorupki świeżą wodą 4-5 razy. Potem użyjcie nowej skorupki.

Woda taka stanowi zresztą jeden z najlepszych środków uzupełnienia wapnia w organizmie, a jeśli dodać do niej trochę soku z cytryny, powstaje cytrynian wapnia, który jest idealnie przyswajany przez organizm – w odróżnieniu od zwyczajnego, zalecanego przez lekarzy węglanu wapnia, do którego krystalizuje wapń [węglan wapnia jest bardzo słabo rozpuszczalny w wodzie]. Taką wodę należy pić **przy chorobach układu sercowo-naczyniowego, oddechowego, nerwowego i innych, przy zaburzonych procesach przemiany materii (artrozy, artryty itp.), przy problemach z włosami i innych.**

Nawet jeśli do błotnistej wody włoży się liście jarzębiny, po 3 godzinach będzie czysta.

Dezynfekuje wodę również 3% nadtlenek wodoru – do 1 l wody należy dodać 1 łyżeczkę 3% nadtlenku wodoru [1 łyżeczkę wody utlenionej].

Istnieje tak prosty, że aż śmieszny ludowy sposób określania, czy można spożywać wodę z określonego zbiornika, jeziora lub stawu: napluć do wody. Jeśli ślina rozejdzie się, można śmiało pić. Jeśli pozostała w postaci gęstej plamy – trzymaj się z dala od takiej wody.

Znaczenie wody dla organizmu

A teraz jeszcze raz, bardziej szczegółowo, dotknę kwestii znaczenia wody dla organizmu.

Z pewnością słyszeliście, jak starsi ludzie mówią, że w ogóle nie chce im się pić. Czy można rozpatrywać to jako normalny stan organizmu? Oczywiście nie! Po prostu w takim organizmie powstało już mnóstwo problemów związanych z deficytem wody w komórkach.

W niektórych przypadkach lekarze mawiają, że trzeba pić więcej wody, nie uściślając przy tym, o jakiej wodzie mowa: w postaci herbaty, kawy, napojów gazowanych, piwa itd. Takimi radami lekarze wyrządzają pacjentom niedźwiedzią przysługę.

Tego typu podejście jest odbiciem zasadniczej nieznajomości procesów fizjologicznych, przebiegających w organizmie. I nie jest to wina lekarzy, którzy ślepo wykonują zalecenia szkół akademickich, dyktujących zasady zachowania ludzi, opierając się na swoim wąsko wyspecjalizowanym świecie, co już czyni ich zalecenia niepełnowartościowymi.

Bardziej imponują mi zalecenia znanego uzdrowiciela B.W. Bołotowa, który radzi 30 minut po posiłku wziąć w usta szczyptę soli i połknąć wraz ze śliną. Jego zdaniem wytworzenie przy tym dodatkowej ilości soku żołądkowego (kwasu solnego) sprzyja pozbyciu się starych komórek i obcej mikroflory przez dodatkowe podkwaszenie organizmu oraz jego lekkie zasolenie. Oprócz tego Bołotow zaleca spożycie ziaren soli co godzinę, nie uściślając, ile i jaki płyn przy tym pić.

Inny uzdrowiciel ludowy, P.T. Borbat, zaleca picie głównie wody przegotowanej, różne herbatki, rozcieńczoną wodę po ogórkach kiszonych, lecz określa już, że ilość wypitego płynu razem z zupami powinna stanowić nie mniej niż 4% wagi ciała. Woda po ogórkach kiszonych, nawiasem mówiąc, zawiera wszystkie pożyteczne substancje znajdujące się w kiszonych warzywach.

Oczywiście imponuje mi również wszystko, co proponuje Pan Batmanghelidzh, jak można go określić – założyciel nowego nurtu naukowego traktującego o wodzie (dawno zapomnianego, starego prawa fizjologii). Nie zgadzam się z nim jednak w kwestii picia w trakcie posiłku i bezpośrednio po nim. To niedopuszczalne. Sam proces właściwego przeżuwania pokarmu wyklucza picie wody.

Uczeni zawsze twierdzili, że energię dostarcza organizmowi pokarm drogą tworzenia trójfosforanu adenozyny (ATF), i nie brali w ogóle pod uwagę wody. W rzeczywistości właśnie woda wytwarza energię, zmuszając do pracy białkowe „pompy" jonowe błon komórkowych, niczym w turbinach elektrowni, sprzyjając przenikaniu do komórki substancji odżywczych i sodu oraz wydalaniu z niej potasu i produktów przemiany materii.

W nawodnionym organizmie krew zawiera zazwyczaj około 94% wody, a idealna zawartość wody w komórce powinna wynosić około 75%. Dzięki tej różnicy powstaje ciśnienie osmotyczne, pozwalające wodzie przenikać do komórek.

Woda uruchamia „pompy" sodowo-potasowe, wytwarzając tym samym niezbędną do właściwej pracy komórek energię, stanowiącą mechanizm rozruchowy wymiany wewnątrz- i zewnątrzkomórkowej. Właśnie zachowanie równowagi kwasowo-zasadowej, która powinna wynosić około 7,4, charakteryzuje neutralny stan pomiędzy kwaśnym i zasadowym środowiskiem organizmu, świadczący o jego właściwym funkcjonowaniu.

Im bardziej komórka jest odwodniona, tym bardziej zależna jest od energii powstającej w wyniku przyjmowania pokarmu, co sprzyja gromadzeniu tłuszczu. Natomiast organizm otrzymuje energię, zużywając białko i skrobię. Czy nie to właśnie jest powodem otyłości?

Chociaż organizm dysponuje pewnymi rezerwami wody, to jednak są one stosunkowo niewielkie i średnio starczają na nie więcej niż 3 dni. Jej mieszcząca się w normie ilość w organizmie, jak już mówiłem, powinna stanowić 2/3 masy ciała. Udowodniono, że na przykład w starszym wieku utrata wody może osiągnąć nawet 3–6 l. A wiadomo, że komórka nie jest w stanie pełnić swych funkcji prawidłowo w warunkach podwyższonej lepkości.

Woda to nie tylko po prostu płyn, lecz środowisko odżywcze dla komórek. Wraz z odwodnieniem organizmu najpierw zmniejsza się objętość płynu komórkowego (66%), następnie międzykomórkowego (26%), a potem woda uzyskiwana jest już z krwiobiegu (8%). Dzieje się tak głównie w celu zapewnienia wody mózgowi, w którym znajduje się jej do 85%, a według niektórych danych nawet 92%. Utrata przez mózg choćby 1% wody prowadzi do nieodwracalnych zmian.

Ogromna rola wody dla mózgu zaznacza się także u dziecka będącego w łonie matki. Wielu, w tym również lekarze, prawdopodobnie nie zastanawia się, dlaczego prawidłowe położenie płodu to pozycja głową w dół. Otóż dlatego, że dzięki temu poprawia się ukrwienie mózgu, a w tym okresie od nasycenia mózgu krwią zależne jest całe przyszłe życie człowieka.

Właśnie dlatego przy jakichkolwiek nieprawidłowościach związanych z naruszeniami układu nerwowego, a w szczególności struktur znajdujących się w głowie, koniecznie należy o tym pamiętać i często wykonywać chociaż „półświecę", a z czasem „świecę", lub inaczej stanie na głowie. Pomaga to (wraz ze spożyciem soli) unormować dostarczanie co najmniej 1,5–2 l na dobę płynu do mózgu (w zależności od masy ciała). Ćwiczenie to należy wykonywać z początku ostrożnie i stanie na ramionach lub plecach zaczynać od kilku sekund, stopniowo dochodząc do kilku minut.

Szczególnie wrażliwe na deficyt wody są te komórki mózgu, które muszą stale wydalać toksyny powstające w efekcie jego działalności. Ciekawe, że do prawidłowej pracy mózgu konieczne jest około 20% całej krwi, chociaż on sam ma najwyżej 2% całkowitej masy ciała.

Aby mózg mógł wykorzystać energię pochodzącą z pokarmu, powinno zajść wiele reakcji pośrednich, do czego niezbędna jest wystarczająca ilość wody, która sama w sobie jest już produktem energetycznym. Oprócz tego mózg omywany jest przez ciecz wytwarzaną przez kapilary [naczynia włosowate] mózgu, która różni się od krwi (płyn mózgowo-rdzeniowy zawiera więcej sodu i mniej potasu niż wszystkie pozostałe płyny).

Kapilary mózgu, w odróżnieniu od pozostałych kapilar organizmu, dysponują pewną właściwością: są zarazem filtrem niepozwalającym przedostać się do mózgu niepożądanym substancjom. Proces ten zachodzi dzięki tak zwanej barierze hemato-encefalica [bariera naczyniowo-mózgowa BBB5].

Na przykład wiele lekarstw nie jest w stanie przeniknąć przez tę barierę do mózgu, i dlatego środki przeznaczone do leczenia mózgu wymagają specyficznych technologii.

Na marginesie – to w Związku Radzieckim, jako pierwszy w świecie, został przez nas stworzony preparat „Fenibut", uhonorowany szeregiem nagród państwowych analog kwasu gamma aminobutyrowego, który – praktycznie w pełni przenikając przez barierę naczyniowo-mózgową – wywoływał wręcz cudowny efekt, którego nie udało się uzyskać, o ile mi wiadomo, za pomocą żadnego innego preparatu, za wyjątkiem radioprotektorów.

Przy odwodnieniu ma miejsce zakłócenie pracy naczyń włosowatych bariery naczyniowo-mózgowej, w rezultacie czego dostają się tam szkodliwe substancje, będące przyczyną wielu dolegliwości neurologicznych, w tym stwardnienia rozsianego, choroby Parkinsona, Alzheimera. Woda jest drugim po tlenie środkiem nieodzownym dla prawidłowej pracy komórek mózgu i najważniejszym elementem odżywiającym wszystkie jego czynności. Oto dlaczego mózg, wraz z całym kanałem rdzeniowym, zbudowany jest w 85% z wody, podczas gdy we wszystkich komórkach organizmu nie ma jej więcej niż 75%.

Dlaczego roztwór soli fizjologicznej, przypominający składem wodę morską, posiada takie a nie inne właściwości? Otóż dlatego, że w organizmie powinno znajdować się dużo soli kuchennej (chlorku sodu). Stanowi ona środowisko, w którym sprawniej przebiegają wszystkie procesy bioenergetyczne.

Bez dodatku soli organizm ludzki wymaga o wiele więcej wysiłku do trawienia pokarmu i trudniej zachodzą w nim reakcje biochemiczne. Właśnie sól jest dobrym regulatorem środowiska wewnętrznego organizmu. Wszystkie zwierzęta (konie, krowy, owce) nie mogą żyć bez soli i dobrzy hodowcy o tym pamiętają, podając zwierzętom sól do zlizywania.

Jak już zostało powiedziane, wraz z odwodnieniem organizmu najpierw zmniejsza się objętość płynu komórkowego (66%), potem międzykomórkowego (26%), a następnie woda uzyskiwana jest z krwi (8%). Sucha skóra, zmarszczki i inne objawy zewnętrzne to nie starość, tylko brak wody w komórkach. Dlatego nawet jeśli nie odczuwacie pragnienia, nie powinniście czekać do tego momentu, lecz starać się regularnie uzupełniać wodę w organizmie. Jeszcze raz przypominam, że woda to nie po prostu płyn. Jest to dla komórek środowisko odżywcze, a pomarszczone komórki, podobnie jak powłoka skórna, nie są w stanie właściwie wypełniać swoich funkcji bez wody.

Dowiedziono, że w wieku 70 lat wskaźnik stosunku wody wewnątrz i na zewnątrz komórki zniża się z 1:1 do 0:8, a utrata wody wewnątrzkomórkowej negatywnie odbija się na efektywności jej funkcjonowania. Dlatego właśnie nie wolno czekać, aż pojawi się uczucie pragnienia, tylko zawczasu wprowadzać do organizmu zapas wody, którym on sam zadysponuje.

Przy deficycie wody organizm rozpaczliwie poszukuje wewnętrznych rezerw w celu zapewnienia najważniejszemu narządowi, czyli mózgowi, niezbędnego płynu. Woda jest wówczas pozyskiwana ze ścianek naczyń, co prowadzi do zgęstnienia krwi, zmniejszenia średnicy naczyń i podwyższonej ich łamliwości. Gdybyż na tym się to kończyło... Podczas zgęstnienia krwi jej składniki stają się zbyt mało aktywne i – tracąc swoje połączenia międzycząsteczkowe – sklejają się, tworząc asocjaty – swego rodzaju kiści, grona.

Pojemność energii w takim gronie nie jest przy tym wcale równa sumie energii zawartej w pojedynczych molekułach tworzących zlepek. Stąd pojemność energii asocjatu jest znacznie mniejsza, co wyjaśnia nie tylko ograniczoną ruchliwość wody, warunkującą jej „starzenie się", ale i mniejszą zdolność rozpuszczania substancji.

Oczywiście takie grona nie mogą już przenikać przez błony komórek, co odbija się na właściwościach reologicznych (zdolności przepływu) krwi. Czy nie to właśnie stanowi przyczynę początku arteriosklerozy [miażdżycy tętnic]? Dlatego zastosowanie wspomnianych wcześniej magnetronów Patrasienko, pod względem struktury i gradientu dokładnie odpowiadającym polu magnetycznemu Ziemi, usuwa to zjawisko, tym samym przywracając zakłócony potencjał energetyczny komórek i frakcji krwi.

Wiadomo, że energia dla mózgu dostarczana jest wraz z cukrami, lecz spożywamy ich 5–6 razy więcej, niż mózg potrzebuje. Przecież do mózgu dociera zaledwie 20% krwi, która krąży w organizmie. Tymczasem po spożyciu osolonej wody uczucie łaknienia przytępia się, organizm zajęty jest przemianą wody w formę strukturalną i energetyczną, na co potrzeba 10–20 minut. Uczucie głodu nadejdzie dopiero wówczas, gdy faktycznie będziecie potrzebowali pokarmu.

Zwiększenie objętości wody po jej spożyciu prowadzi do zmniejszenia wagi ciała na skutek odprowadzenia płynu powodującego obrzmienia [*„morbus oedematicus"*]. Wiadomo, że jednym z czynników niszczących zdrowie człowieka jest otyłość, która związana jest przede wszystkim z odwodnieniem. Zamiast pić wodę, człowiek zaczyna jeść. Ale jeśli organizm nie spożytkuje nadmiaru energii na aktywność fizyczną, to odłoży się ona w postaci tłuszczu.

Enzymy spalające tłuszcz są stymulowane przez adrenalinę właśnie dzięki aktywności fizycznej. Jednym z takich enzymów jest produkowana przez trzustkę lipaza, która rozkłada tłuszcz na poszczególne składniki, zużywane następnie przez mięśnie i wątrobę. Na tym polega tajemnica chudnięcia przy pomocy ruchu i spożywania wody z nieznaczną ilością soli. I bądźcie pewni, że efekt będzie znacznie lepszy niż przy stosowaniu jakiejkolwiek reklamowanej diety lub suplementu diety.

Jeszcze jedna obserwacja. Dlaczego tak powszechna stała się cukrzyca typu II (która zresztą obserwowana była wcześniej jedynie u dorosłych, a obecnie chorują na nią również dzieci)? Dzieciom proponuje się słodkie napoje, słodkie i inne pożywienie, które pobudzają pracę trzustki w zakresie wydzielania insuliny, która sama w sobie sprzyja wzrostowi wagi, zamieniając cukier i węglowodany w tłuszcze. Zbędny cukier nie tylko nie przynosi pożytku, ale jest wręcz szkodliwy przez oszukiwanie trzustki, która wykonuje niepotrzebną pracę i wytwarza dodatkową insulinę w celu utrzymania właściwego poziomu cukru we krwi. Jeśli nie ma miejsca jednoczesne spożytkowanie cukru na pracę fizyczną, to zamienia się on w tłuszcz.

W wyniku odwodnienia cierpią również komórki układu odpornościowego, przy zakłóceniu pracy których pojawiają się tak zwane choroby związane z obniżoną odpornością. Są wśród nich wszystkie przewlekłe dolegliwości, takie jak: zapalenie oskrzeli, astma oskrzelowa, bezpłodność, toczeń rumieniowaty, sklerodermia [twardzina] i inne. Zaliczyłbym do nich także stwardnienie rozsiane, chorobę Parkinsona, chorobę Alzheimera i choroby onkologiczne.

Są to skomplikowane zachorowania, z uczestnictwem wszystkich tkanek łącznych, w których na skutek deficytu wody obserwuje się zakłócenia wszystkich procesów biologicznych i energetycznych. Gdy tylko nasycą się one wodą, znikają czynniki chorobotwórcze, i jednocześnie nastąpi wyzdrowienie. Oczywiście wszystko to możliwe jest tylko przy jednoczesnym zaistnieniu kompleksu czynników, włączając osobiste, socjalne i ekonomiczne, w których zdrowie człowieka i jego pomyślność stawia się na pierwszym miejscu.

Jak na równowagę wodną w organizmie wpływają lekarstwa? Każde lekarstwo, jako środek chemiczny, wymaga dodatkowego zużycia wody, i to sprzyja jeszcze większemu odwodnieniu organizmu. W naszych czasach dowiedziono ponad wszelką wątpliwość, że 90% lekarstw stosuje się bez jakiejkolwiek potrzeby (i leczenie za ich pomocą dotyka jedynie objawów, a nie przyczyny zachorowań), co jeszcze bardziej pogrąża stan chorego organizmu.

Należy mieć na względzie, że kiedy organizm jest odwodniony i potrzebuje wody, może on uzupełnić jej zapasy tylko pod warunkiem obecności wystarczającej ilości soli, z pomocą której ulega normalizacji zawartość płynu międzykomórkowego.

Jeśli w organizmie jest mało wody, to usiłuje on pozyskać ją z pożywienia, w efekcie trawienia którego powstaje woda, dwutlenek węgla i glukoza. Są do tego konieczne płyny, a ich i tak nie starcza do tego, by wypłukać z komórki zbędne sole. W rezultacie komórka zanieczyszcza się i przestaje właściwie działać. Odwodnienie doprowadza do zaburzenia wszystkich czynności trawienia pożywienia, jego syntezy i dostarczania niezbędnych substancji, odpowiadających specyfice czynności usuwania odpadów przez narząd.

Niestety lekarze traktują wodę jedynie jako środek rozpuszczający i transportujący różne substancje i uważają, że zaspokoić potrzebę uzupełniania wody można za pomocą jakiegokolwiek płynu. Na pytanie, jaką wodę należy pić, lekarze zazwyczaj odpowiadają, że jakąkolwiek, byle jak najwięcej. To nie całkiem prawda.

Herbata, kawa, piwo, alkohol, sztuczne napoje poza tym, że zawierają wodę, zawierają również środki odwadniające, takie jak kofeina, a także inne składniki chemiczne. Udowodniono, że jeśli spożywacie takie napoje, to tracicie więcej wody niż jej dostarczacie, czyli stopniowo się odwadniacie.

Zalecana na przykład przez lekarzy przy przeziębieniu i stanie podgorączkowym gorąca herbata w rzeczy samej doprowadza do utraty płynów w wyniku pocenia się, chociaż subiektywnie chory odczuwa ulgę. A w celu poprawy ogólnego stanu wystarczy napić się gorącej wody ze szczyptą soli.

Depresja, zespół przewlekłego zmęczenia, ból głowy i praktycznie wszelkie zaburzenia czynnościowe i zmiany patologiczne w organizmie zaczynają się od odwodnienia, od deficytu wody, która jest mechanizmem rozruchowym wszystkich reakcji biochemicznych i energetycznych.

Wielu nie zastanawia się nad tym, że woda i pozostałe płyny to nie jedno i to samo. W syntetycznych napojach, jak już mówiłem, zawartych jest wiele substancji chemicznych, które z punktu widzenia fizjologii wywołują w organizmie niepożądane reakcje. Weźmy na przykład kofeinę, zawartą w kawie, kakao, herbacie i Coca Coli. Dlaczego po spożyciu mocnej herbaty lub kawy występuje bezsenność? Rzecz w tym, że kofeina powstrzymuje produkcję sprzyjającej snowi melatoniny, która odbywa się w szyszynce.

Kofeina jest swego rodzaju narkotykiem, ponieważ oddziałuje bezpośrednio na mózg, którego działanie zaczyna się od niej uzależniać. Oprócz tego, oddziałując na nerki, kofeina sprzyja obfitemu wydzielaniu moczu, czyli działa jak diuretyk. I okazuje się, że chociaż wypiliście wystarczająco dużo płynu, w organizmie go nie ma. Co więcej – wydalacie go więcej, niż wypiliście. A jeśli nie towarzyszy temu aktywność fizyczna, to przybieracie na wadze, i choroba gotowa – otyłość.

Kawa, jako napój pobudzający, sztucznie stymuluje ciało i mózg, co przy towarzyszącym zmęczeniu jeszcze bardziej osłabia organizm. Doprowadza to do szybkiego zużywania się energii, a w konsekwencji do zakłócenia pamięci i koncentracji. Musicie wiedzieć, że kofeina sprzyja pobudzeniu układu sercowo-naczyniowego, oddziałując na cały organizm. Dlatego u ludzi, którzy nadużywają napojów zawierających kofeinę, kłopoty z sercem pojawiają się 2–3 razy częściej niż u pozostałych. Tym, którzy nie potrafią odmówić sobie kawy, pozwolę sobie dać kilka rad w sprawie przygotowania zdrowej kawy.

Kawa żytnia. Wybierzcie gruboziarniste żyto, przemyjcie je, wysuszcie, uprażcie na patelni, tak by się nie przegrzała. Następnie zmielcie w młynku i zaparzcie jak kawę, lecz wsypcie go 2–3 łyżeczki do herbaty. Przyjemne z pożytecznym.

Kawa z topinamburu. Dojrzałe kolby przemyj, obsusz, potnij w małą kostkę, wysusz przez 3–4 dni na świeżym powietrzu. Potem dosusz w piekarniku, aż uzyskasz brązowy, korzenny kolor. Przechowuj w suchym miejscu. Przed użyciem podpraż na patelni, zmiel w młynku do kawy i zaparzaj jak zwykłą kawę.

Kawa z nasionami słonecznika. Na 100 g kawy wziąć 100 g pestek słonecznika. Obrane nasiona uprażyć, zemleć w młynku do kawy i wymieszać z kawą. Pestki słonecznika łagodzą działanie kofeiny, przy czym smak kawy zostaje zachowany. Kawa zaparzona z nasionami słonecznika jest smaczna i zdrowa.

Co zaś się tyczy **herbaty**, to lepiej ją pić z różnymi ziołami. Dobrze też pić zieloną herbatę.

Świetnym dodatkiem do osolonej wody są różne **wyciągi z grzybów** – herbacianego [kombucha], **mlecznego** [grzybek tybetański] **itp.** Mają one odczyn kwaśny i uzdrawiają zaśmiecony organizm. Trudno nie docenić na przykład zdolności grzybka herbacianego do niszczenia bakterii gnilnych. Wyciągi z grzybów są bardzo skuteczne w przebiegu chorób związanych z wiekiem, szczególnie arteriosklerozy i nadciśnienia.

Teraz kilka słów na temat popijania w trakcie posiłku. Zazwyczaj ludzie piją płyny w czasie posiłku i bezpośrednio po nim. Popijają pożywienie i kończą posiłek różnymi napojami (kompot, herbata, kawa itd.) Gdybyście wiedzieli, ile szkody przynosicie sobie w ten sposób, naruszając prawa przyrody i specyfikę pracy organizmu!

Jakikolwiek płyn można spożyć na 10–15 minut przed posiłkiem lub 1,5–2 godzin po jedzeniu. W ciągu dnia wydzielają się u nas w ustach około 2 l śliny, która jest wodą strukturalną bogatą w bioplazmę. Nie wymaga ona żadnej energii do swojego przetworzenia. Oprócz tego, podczas intensywnego przeżuwania przez jamę ustną przechodzi prawie cała krew, która się przy tym oczyszcza z toksyn, tłuszczu i innych produktów przemiany materii. To po pierwsze.

Po drugie: żołądek, zaczynając pracę, przygotowuje określone środowisko w celu strawienia konkretnego produktu pokarmowego. Zapijając wodą każdy kawałek pożywienia, tym samym rozcieńczacie kwasy żołądkowe, znacznie zmniejszacie ich stężenie, co wywołuje dodatkowe napięcie w całym układzie. Poza tym kwaśna zawartość żołądka dostaje się wraz z wodą do dolnych partii jelit, co nie powinno mieć miejsca. Przecież każdy odcinek układu pokarmowego jest jak fabryka, i rozpoczęte w nim reakcje muszą dojść do końca.

Powstawanie w dwunastnicy i jelicie cienkim środowiska kwaśnego zamiast zasadowego wywołuje fermentację, gnicie, co zmienia zarówno mikroflorę, jak i procesy trawienne i wchłanianie. Oto przyczyna nieżytów żołądka, zapalenia błony śluzowej dwunastnicy, wrzodów i innych chorób. Powstaje zamknięty krąg i skomplikowany proces trawienny całkowicie się rozregulowuje.

Jeśli dokładnie przeżuwacie pokarm aż do chwili, kiedy straci swój charakterystyczny smak, wydziela się wystarczająco dużo śliny, która świetnie zastępuje wodę i nie pojawia się konieczność popijania. Dopuszczalne jest przepłukanie ust po posiłku 2–3 łykami płynu, który następnie się wypluje. Można też użyć gumy do żucia. Nie należy jej jednak za długo żuć na czczo, ponieważ gdy tylko jama ustna zacznie pracować, włącza się mechanizm trawienia pokarmu, następuje wydzielenie soków trawiennych itd., a pokarmu przecież nie będzie. Układ zaś, który jest wciąż oszukiwany, nie jest w stanie aktywnie reagować nawet na faktyczne przyjęcie pokarmu. Oto dlaczego dzieci często nie mają apetytu, chorują na początkowe, a później patologiczne zmiany, takie jak nieżyt żołądka, zapalenie okrężnicy itp.

Na koniec powiem o roli wody w procesie odprowadzania zużytych substancji i soli. Do tych celów najlepiej użyć, jak już wspominałem wcześniej, lekko osolonych naturalnych płynów, znajdujących się w owocach i warzywach, lub wody z topionego lodu.

Jednak należy zwrócić uwagę na to, że owoce przywożone do Rosji z innych krajów są zrywane niedojrzałe i w drodze niby dojrzewają, ale przecież jest to nienaturalny proces. W efekcie takie owoce pozbawione są wielu kwasów organicznych, minerałów, enzymów, tracą witaminy. Tymczasem w dojrzałych owocach i warzywach, a szczególnie w ich nasionach, znajdują się nukleinowe kwasy organiczne, których rola jest ogromna – są nosicielami informacji genetycznej.

Kwasy nukleinowe lub ich łańcuchy zawarte są w naturalnych produktach: truskawkach, poziomkach, malinach i innych. Pod tym względem zadziwiające są **pestki słonecznika**, tylko nie suszone, a **kiełkujące**: szklankę pestek namoczyć na 20 minut w osolonej wodzie, przepłukać, umieścić w dwulitrowym słoju, zalać wodą do wysokości 10-15 cm powyżej nasion, przykryć gazą i zostawić na 10-12 godzin (na noc).

Rano zlać wodę i umieścić słoik w ciemnym miejscu. Przepłukiwać nasiona 2 razy dziennie. Po upływie 1–2 dni pojawią się kiełki. By spowolnić ich wzrastanie, słój należy wstawić do lodówki. Przed użyciem kiełków musicie je przepłukać. To samo można zrobić z pestkami dyni.

Stopniała woda zachowuje swą formę strukturalną przez dobę i bardzo dobrze, jeśli będzie tam pływał jeszcze kawałeczek lodu. Zaobserwowano, że jeśli zacznie się stosować taką wodę z domieszką soli, to przykładowo po kilku dniach zauważa się znaczne polepszenie stanu zdrowia, podniesienie zdolności do pracy i skrócenie czasu snu. W celu pozbycia się obwisania skóry na szyi i twarzy masujcie ją osoloną wodą z kawałkami lodu. Następnie, nasączywszy ręcznik osoloną wodą, weźcie go dwoma rękami za końce i uderzajcie się po policzkach, szyi i podbródku, napinając go i rozluźniając.

Jeśli taki roztwór będziecie wcierać w skórę całego ciała, bardzo szybko pozbędziecie się bólu w okolicy serca, różnych wysypek skórnych, żylaków, zmarszczek i bólu korzonków, a ciśnienie się unormuje. Po wcieraniu należy położyć się spać, a rankiem, oczywiście po porannej gimnastyce, wziąć naprzemienny prysznic – swego rodzaju masaż drobnych naczyń krwionośnych, kapilar, od których zależy nasze życie.

W połowie XX wieku, w 1958 roku, A. Załmanow powiedział: „Nie istnieją dolegliwości poszczególnych narządów. Chory jest zawsze cały człowiek. Nie istnieje leczenie miejscowe. Prawie nic nie wiemy o tym, co reguluje życie tkanki łącznej, odpowiadającej za tworzenie się blizn, gojenie się naszych ran po interwencjach chirurgicznych, uzupełniającej utracone substancje w narządach zdeformowanych przez gruźlicę, syfilis, alkoholizm i inne choroby. Nie znamy roli tkanki łącznej w czynnościach pozostałych typów tkanek. I mimo że tkanka ta jest niestrudzonym czynnikiem odbudowującym, może stać się powodem powolnego obumierania dotkniętych przez sklerozę narządów. Skleroza płuc i nerek, marskość wątroby – to zawsze obrastanie narządów zmarszczoną tkanką łączną".

Co może się oprzeć takim groźnym zmianom patologicznym w organizmie? Woda! Tylko nie ta zwyczajna, która płynie z naszych kranów, lecz ta porządnie przygotowana i odrobinę osolona.

W swojej praktyce wychodzę z założenia, że **przy wadze 50–60 kg należy pić nie mniej niż 1,5 l wody, a w chorobach stawów nawet do 2 l. Z kolei przy wadze powyżej 70 kg – co najmniej 2 l**. Skąd wzięła się ilość 2 l? Średnio przy wadze 70 kg u człowieka w stanie spoczynku wraz z moczem wydalany jest około 1 l płynu, a z kałem – 100 ml. Przez parowanie i dyfuzję z powierzchni skóry i w wydychanym powietrzu tracimy jeszcze 900 ml. W sumie zbiera się 2 l wody, które należy uzupełnić.

Oprócz tego produktami końcowymi trawienia pokarmu są dwutlenek węgla, glukoza i woda. Przy odżywianiu łączącym w jednym posiłku białka i węglowodany, wydziela się około 300 ml wody. Podczas wysiłku fizycznego zużycie płynów zwiększa się. W celu uzupełnienia strat w płynach należy spożywać osoloną wodę.

Należy mieć również na uwadze, że przyroda postąpiła mądrze: ¾ owoców i warzyw ma charakter zasadowy, ¼ – kwaśny. Jeśli człowiek zje dziennie do 60–70% owoców i warzyw (w tym soków), to tym samym zapewni swemu organizmowi 1 l, a nawet więcej, fizjologicznej wody strukturalnej (znajdującej się w tej ilości owoców i warzyw), a także błonnika, który dodatkowo oczyszcza organizm. Natomiast substancje takie jak sód, potas, wapń, żelazo i magnez, które należą do pierwiastków zasadowych, wchodząc w reakcje z wodą, dodatkowo powodują jej rozpad na tlen cząsteczkowy i atomowy, który uzdrawia komórki, normując zachodzące w nich procesy wymiany.

W jaki sposób najlepiej pić wodę

- Wziąć szczyptę soli do ust i zalać ją szklanką wody z dodatkiem 10–15 kropel 3% nadtlenku wodoru [wody utlenionej], a jeszcze lepiej od razu wypić w ten sposób jeszcze jedną szklankę wody. Wkrótce odczujecie, że picie takiej wody jest nawet przyjemne.

Jest to konieczne z jednej strony po to, by w wystarczającym stopniu uzupełniać wodę, utraconą podczas snu na odprowadzenie produktów metabolizmu, a z drugiej – by wydalić z pęcherzyka żółciowego zgęstniałą przez noc żółć, która jest głównym czynnikiem kamieniotwórczym.

- Zaleca się picie wody począwszy od godziny 5 do 7 czasu miejscowego, w okresie wzmożonej pracy pęcherzyka żółciowego. I, co ważne, wypicie 2 szklanek wody o poranku, na pusty żołądek, likwiduje zatwardzenia.
- Pamiętajcie, że taka woda to produkt żywnościowy, do którego należy odnosić się z szacunkiem. 10–15 minut po jej wypiciu, czyli po czasie, który jest potrzebny, by woda zamieniła się w strukturalną i energetyczną, zaczyna ona działać jak elektrolit, antyoksydant, który rozpuszcza wszystkie twory kwasu moczowego i inne toksyny, które nagromadziły się w zanieczyszczonym organizmie.

W ciągu dnia całkowita ilość soli nie powinna przewyższać 2–3 g. Jeśli przyjąć, że roztwór soli fizjologicznej, który odżywia nasz organizm ma stężenie 0,9%, to taka ilość soli praktycznie nie wyrządza mu żadnej szkody.

- Następnie w ciągu dnia, szczególnie gdy zachce Wam się jeść, wypijcie 0,5–1,0 szklanki osolonej wody, a apetyt zniknie na 30–50 minut.
- Za pragnienie i łaknienie odpowiada regulator o nazwie histamina i jeśli pojawia się u Was uczucie suchości w ustach, wolicie coś zjeść. Na tym polega pomyłka, ponieważ suchość pojawia się tak naprawdę w czasie jedzenia lub po nim. Dlatego dużo pijecie po jedzeniu, by rozcieńczyć zjedzone suche pożywienie. Wyrządzacie sobie w ten sposób szkodę, bowiem rozcieńczając płynami soki trawienne i zmniejszając ich stężenie, które staje się zbyt małe, by strawić pokarm, prowokujecie proces jego fermentacji i gnicia. W rzeczywistości fałszywe uczucie łaknienia należy zaspokajać nie pożywieniem, tylko wodą.

Jeśli dobrze nawodnić organizm, to właściwy poziom zawartości wody można ocenić obserwując mocz, który powinien być bezbarwny, bez smaku (nie słonawy), jak zwykła woda, bez zapachu. Przy niewielkim odwodnieniu organizmu uryna jest żółta i gorzka, a najbardziej niebezpiecznym jest stan, kiedy jest ona pomarańczowa lub mętna, słona albo gorzka. Z praktyki wynika, że leczenie takich chorych jest daremne, dopóki nie unormuje się równowaga wodna i kwasowo-zasadowa w organizmie.

- Kiedy odczuwacie pragnienie, zdaje się Wam, że jest to głód. Pijcie wodę ze szczyptą soli, a głód całkiem zniknie na 30–40 minut. Jest to szczególnie ważne w przypadku osób z nadwagą. Metoda ta, w połączeniu z aktywnością fizyczną, szybko zmniejszy wagę ciała bez jakichkolwiek suplementów diety czy odchudzania.

Osoby, które były kiedyś w Azji Środkowej prawdopodobnie zauważyły, jak parzą tam herbatę. Jakby odprawiali jakąś ceremonię: gorącą herbatę wielokrotnie przelewają z filiżanki do filiżanki. W jakim celu? Woda, uderzając o dno filiżanki, „spulchnia się" i nasyca się tlenem, w tym również atomowym (jak w pobliżu wodospadu). Po wypiciu takiej herbaty poczujecie przypływ orzeźwienia i świetny efekt moczopędny.

- A teraz proszę o uwagę tych, którzy cierpią z powodu dolegliwości układu sercowo-naczyniowego, pokarmowego, oddechowego itd. Wieczorem przygotujcie sobie szklankę wody i przykryjcie ją serwetką. Rano, zaraz po przebudzeniu (przed 7.00 czasu lokalnego) weźcie tę szklankę do jednej ręki, a do drugiej pustą. Na stole powinna stać jeszcze duża filiżanka.

Szklankę z wodą podnoście jak najwyżej nad filiżanką, jednocześnie przelewając wodę do pustej szklanki. Powtórzcie tę czynność 30 razy. Początkowo woda będzie się rozchlapywać na boki, a potem wszystko będzie w porządku. Wodę, która pozostanie w szklance, należy wypić malutkimi łyczkami. Zadziwiające, ale w ten sposób pozbędziecie się bólu głowy, mdłości i innych dolegliwości. Oczywiście nie zaszkodziłoby kapnąć do pozostałej wody 5–10 kropel nadtlenku wodoru, który jest nie tylko źródłem czystej wody, ale i tlenu atomowego.

Na szklankę wody dodaję **od 5 do 10 kropel 3% nad-**

tlenku wodoru, co daje wyraźniejszy efekt, ponieważ tlenu w naszym organizmie zawsze brakuje. Jeśli pamiętamy, że komórki rakowe żyją tylko w środowisku beztlenowym i tam, gdzie brakuje wody w komórkach, to jasnym jest, że nawet takie spożycie będzie sprzyjać temu, by poprzez aktywację pracy komórek organizmu wszystkie komórki patologiczne, w tym także rakowe, jak również wszelkie pasożyty zamieszkujące nasz organizm, zostały uśmiercone.

Jeśli spojrzeć na wodę z fizycznego punktu widzenia, to podczas uderzania i przy efektach dźwiękowych (grom, dzwony) cząsteczki wody rozrywają się na mniejsze cząstki: tlen atomowy, ozon, wodór, grupy hydroksylowe. Zjawisko to nazywamy dysocjacją.

Czyż nie z tym związana była starorosyjska praktyka bicia w dzwony w okresie zarazy – a zaraza omijała osadę lub ofiar było znacznie mniej niż tam, gdzie tego nie czyniono? Wiadomo, że człowiek składa się w 2/3 z wody i można przypuszczać, że dźwięk dzwonu oddziaływał na wodę w organizmie, podwyższając stężenie nadtlenku wodoru. Tym samym wzmacniał układ odpornościowy i pomagał organizmowi uporać się z zarazą.

Wodór jest bardzo lotną substancją i szybko opuszcza wodę, podobnie jak część tlenu. Ozon rozpada się na tlen molekularny i atomowy. Również pozostałe części tlenu, szybko łącząc się w postać grup hydroksylowych, tworzą nadtlenek wodoru. Wiadomym jest, że nadtlenek wodoru w takim czy innym stopniu znajduje się w każdej wodzie. Najmniej jest go w wodzie destylowanej, w śniegowej jest go 10 razy więcej, w lodzie – 15 razy więcej. W wodzie po burzy stosunek jego masy do objętości wody jest ponad 300 razy większy.

Nadtlenek wodoru jest jednym z najmocniejszych antyoksydantów, który – dotleniając niedotlenione substancje – sprzyja temu, że kwaśne środowisko (ulubione przez komórki rakowe) alkalizuje się, przywracając tym samym homeostazę, czyli równowagę kwasowo-zasadową, a następnie prowadzi do wyzdrowienia.

Jeszcze jeden interesujący fakt: na wsiach mądre dojarki przed burzą zawsze okrywają kanki z mlekiem prześcieradłem i butami, stwarzając swego rodzaju izolację dźwiękoszczelną. Mleko wówczas nie kwaśnieje.

Objawy odwodnienia

Z pewnością chcecie wiedzieć, jakie objawy świadczą o odwodnieniu organizmu. Łatwiej mi jednak wyjaśnić, co wiąże się z deficytem osolonej wody w organizmie.

Jest to:

- ból głowy, zawroty głowy,
- drażliwość, depresja, skłonność do szybkiego męczenia się, bezsenność,
- worki pod oczami, „nalana twarz", sucha skóra (lub na odwrót – tłusta),
- niewydolność sercowo-naczyniowa, niewydolność nerek,
- cukrzyca,
- zaburzenia ciśnienia tętniczego,
- niedoczynność układu wydzielniczego (nerki, pęcherz moczowy),
- wszelkie zachorowania związane z układem nerwowym (stwardnienie rozsiane, choroba Parkinsona, Alzheimera, encefalopatia i inne),
- choroby wzroku, uszu, nosogardła,
- astma oskrzelowa,
- bóle o różnej lokalizacji,
- zapalenia jelit, zaparcia,
- obrzmienia nóg, skurcze łydek, uczucie palenia w stopach i palcach nóg, wrzody troficzne, zakrzepowe zapalenie żył,
- artrozy [zwyrodnienia stawów], artryty [zapalenia stawów],
- wszelkie objawy skórne: egzema, łuszczyca, sklerodermia (twardzina), miastenia itp.,
- uderzenia gorąca u kobiet w okresie klimakterium.

Wydaje mi się, że ta lista wystarczy do zrozumienia, że wszystkie te dolegliwości wynikają z deficytu osolonej wody. U czytelników bez wątpienia pojawi się pytanie, w przebiegu jakich chorób można i należy przyjmować taką wodę? Po pierwsze – wodę należy pić, by nie zachorować, a jeśli już pojawi się jakieś odchylenie od normy lub wręcz choroba (niezależnie od jej charakteru), to pierwsze, o czym powinien pomyśleć chory, to nasycenie organizmu osoloną wodą. Jakieś **2 gramy (1/2 łyżeczki bez czubka) soli na ponad 2 litry wody** powinno wystarczyć do wyrównania balansu wodno-solnego w organizmie i zapewnienia jego właściwej pracy.

Jak już wiecie, zadziwiające jest to, że jeśli płyn w organizmie zawiera 0,9% chlorków lub 0,9 g na 100 ml, to 2–3 g soli kuchennej w pełni wystarczy w ciągu dnia do korekcji cyrkulacji wody w tkankach. Wraz z solą, która zawarta jest w artykułach spożywczych, stanowi to dzienną normę, wynoszącą 3–4 g.

Przedawkowanie soli jest nie tylko nierozsądne, ale również niebezpieczne, ze względu na możliwość wystąpienia obrzęków. W takim przypadku należy przerwać spożycie osolonej wody na kilka dni i pić zwykłą wodę, po czym przystąpić do spożycia minimalnie osolonej: wziąć dwa, trzy ziarenka grubej soli lub zanurzyć mokry palec w solniczce i przenieść do szklanki wody tyle, ile zostanie na palcu.

Możecie udać się do apteki, by zważono Wam 2–2,5 g soli. Wówczas na pewno jej nie przedawkujecie.

Dlaczego powstają obrzęki? Medycyna oficjalna, która zapomniała o podstawach fizjologii, radzi w takich wypadkach pić jak najmniej płynów, ponieważ rzekomo „i tak jest jej nadmiar w organizmie". Moi Drodzy, to absurd!

Kiedy w komórce jest mało wody, wykorzystana zostaje wszelka woda spoza komórki, zawierająca dużo soli (sodu), które zatrzymują wodę. Błona komórkowa, odfiltrowując wodę, pozostawia zbędny sód w tkankach, zwiększając tym samym obrzęki w celu użycia ich potem jako zapasu wody. Woda ta jest jednak słona i dość zanieczyszczona, co jeszcze pogłębia stan chorobowy pacjenta. Zatem taki pacjent powinien pić jak najwięcej osolonej wody, która – przepłukując organizm – odprowadzi z niego zbędne sole i zlikwiduje obrzęki.

Im więcej wody brakuje komórkom, tym większego ciśnienia potrzeba, by wprowadzić wodę do komórki, a to już prowadzi do **nadciśnienia**, czyli hipertonii. Oto dlaczego sama woda, dodatkowo jeszcze osolona, jest najlepszym fizjologicznym środkiem moczopędnym.

Woda, sól i potas to trzy składniki, które regulują zawartość wody w organizmie. Sól reguluje zawartość wody na zewnątrz komórki, potas – wewnątrz, a woda zapewnia przepłukiwanie komórki i usuwanie z niej toksycznych produktów powstających w wyniku jej działalności.

Zakłócenie stosunku sodu do potasu prowadzi najpierw do czynnościowych, a potem patologicznych zmian w komórce i narządzie.

Histamina to podstawowa substancja, której produkcja zwiększa się w stanie odwodnienia organizmu i pojawienia uczucia pragnienia. Dzieje się to w celu zapobieżenia utracie wody przez komórkę. Lekarze, wiedząc o tym, w przebiegu różnych chorób, na przykład w astmie oskrzelowej, ordynują preparaty antyhistaminowe. Po co? Chorym należy raczej zalecać picie większej ilości osolonej wody, a organizm sam wyreguluje stężenie wody na zewnątrz i wewnątrz komórki, likwidując tym samym nie tylko symptomy, ale i samą chorobę.

Moje ponaddwudziestoletnie doświadczenie uzdrowiciela ludowego, oparte na praktyce klinicznej i ambulatoryjnej, upewniło mnie w tym, że pojawienie się jakiejkolwiek choroby to proces wielopłaszczyznowy, uzależniony od stopnia odwodnienia organizmu, u podstaw którego leży jego zanieczyszczenie, o czym świadczą następujące objawy: zaburzenia pracy układu pokarmowego (zaparcie, luźny stolec, przykry zapach stolca, dysbakterioza, kamienie w pęcherzyku żółciowym i nerkach), zaburzenia procesów przemiany materii (artryty – zapalenia stawów, artrozy – zwyrodnienia stawów, osteochondroza, osteoporoza), rozmaite objawy skórne i alergiczne, zwiększona męczliwość, pogorszenie pamięci itp.

Wszystkie wyżej wymienione dolegliwości to rezultat wewnętrznej intoksykacji całej struktury łącznotkankowej, odpowiedzialnej za przetwarzanie, dostawę, utylizację i usuwanie produktów metabolizmu, co stanowi zaburzenie stanu endoekologicznego. Nie zaszkodzi jeszcze raz przypomnieć, że jeśli nie uporządkujecie pracy układu pokarmowego i wątroby, będącej najważniejszym narządem detoksykacyjnym, nie oczyścicie struktury łącznotkankowej (krwi, limfy, płynów: międzytkankowego, otrzewnowego, rdzeniowego) za pomocą wody, to nie ma mowy o przywróceniu energii organizmowi i wyleczeniu człowieka.

Nie zapominajcie o prawidłowym odżywianiu. Najlepiej, jeśli będzie to odżywianie rozdzielne. Starannie przeżuwajcie pokarm. Nie popijajcie pożywienia w czasie spożywania posiłku, nie pijcie żadnej herbaty czy kompotu od razu po jedzeniu, lecz dopiero po upływie 2 godzin. I, oczywiście, spożywajcie jak najwięcej owoców, jagód, warzyw oraz ziół, czyli tego, co tak szczodrze daje nam Przyroda…

Dokładniej o wodzie możecie przeczytać w mojej książce „Woda – życie i zdrowie: mity i rzeczywistość".

Kilka praktycznych rad dotyczących zdrowego stylu życia

ZAPEWNE zgodzicie się z tym, Szanowni Czytelnicy, że niezależnie od tego, jakie cudowne właściwości posiadałby nadtlenek wodoru, o którym dopiero co szczegółowo mówiliśmy, skuteczność jego oddziaływania na Wasz organizm będzie znacznie większa, a efekt bardziej niezawodny, jeśli zmienicie swe życie od podstaw.

Na przykład pewna pani przyszła do mnie z pretensjami, bo po zażyciu nadtlenku wodoru zrobiło jej się niedobrze. Zacząłem sprawdzać, o co chodzi i okazało się, że w ciągu sześciu dni cierpiała na silne zaparcia... I wiecie, co Wam powiem? Zanim weźmiecie się za nadtlenek wodoru, konieczne jest oczyszczenie jelit, wątroby, stawów i krwi...

Gdy organizm jest zamieniony w śmietnik, a choroba stan ten pogłębiła, żadne preparaty – w tym nadtlenek wodoru – nie pomogą.

Wiele jesteśmy w stanie sobie wybaczyć, odkładamy na jutro gimnastykę, zdrowe żywienie, pełnowartościowy odpoczynek. Lecz jeśli będziemy traktować swój organizm z lekceważeniem, to zapas naszych dni szybko się wyczerpie. Dlatego przemyślmy, co sami możemy zrobić, by pozostać w formie i zachować rześkość ciała i ducha.

Nie wątpię, że wielu z Was znalazło już dla siebie liczne sposoby i metody powrotu do zdrowia. Dodajcie do nich lub uczyńcie podstawowymi również nasze zalecenia.

Oczyszczanie jelit

Jest wiele metod oczyszczania jelit, i nie chodzi mi o lewatywę. Musicie oczyścić wstępujący odcinek jelita grubego, a szczególnie wątrobę.

Tylko wtedy poczujecie, że wracacie do zdrowia. Obecnie do praktyki medycznej wchodzi głębokie oczyszczanie jelita grubego – hydrokolonoterapia. Dzięki niej w stosunkowo krótkim czasie (5–7 zabiegów) można uzyskać efekt niemożliwy do uzyskania przy pomocy lewatyw.

W czasie zabiegu jelita wypełniane są pod ciśnieniem płynem, wypłukującym jak strumień z węża strażackiego wszelkie nawarstwienia, które są usuwane za pomocą drugiego przewodu. Proces jest kontrolowany przez stałe określanie spadku ciśnienia w układzie. Po 2–3 dniach zabiegów można przystąpić do oczyszczania wątroby.

Nasze doświadczenie w zakresie medycyny ludowej wykazało, że lewatywy, niezależnie od tego, z jakiej metody byście korzystali, nie usuną z jelit błonek gnilno-fermentacyjnych, które w istocie stały się integralną częścią ścianek jelit, uniemożliwiając trawienie zachodzące przy ściankach jelita, na jego kosmkach i w całym jego świetle. Ciśnienie towarzyszące wlewowi z lewatywy i samoistnemu wylewaniu się wody jest niewystarczające do usunięcia wszystkich złogów, zleżałych mas kałowych i innych ekstrementów. Można tego dokonać jedynie drogą hydrokolonoterapii, dostarczającej płyn i jednocześnie wysysającej go pod kontrolowanym ciśnieniem i temperaturą w jamie jelita.

Podczas przepuszczania pod ciśnieniem co najmniej 10 l płynu do przemywania, w czasie 15–20 minut wymywane są nie tylko wszystkie ekstrementy z jelita grubego, ale również endoksyny z krwi przepływającej przez jelita. W skład płynu do płukania wchodzą ekstrakty ziół leczniczych, w tym piołunu, paprotnika, rdestu ptasiego, wrotyczu i innych.

Opracowaliśmy i stosujemy oryginalną metodę wprowadzania nadtlenku wodoru do jelit, a mają one około 300 m^3 powierzchni wewnętrznej. W odróżnieniu od oczyszczania jelit za pomocą lewatyw, ta metoda nie wiąże się z żadnymi nieprzyjemnymi doznaniami.

Zabiegi oczyszczania jelit wykonują lekarze proktolodzy. Ilość zabiegów określają specjaliści (zazwyczaj konieczne jest wykonanie od 6 do 12).

W okresie poddawania się zabiegom zaleca się przejść na bezbiałkową dietę wegetariańską, zachowując zasady żywienia rozdzielnego (patrz: książka Iwana Nieumywakina „Endoekologia zdrowia").

W celu utrzymania właściwego stanu układu pokarmowego, zaleca się okresowe powtarzanie hydrokolonoterapii. Ilość potrzebnych zabiegów zależy od tego, jak często je powtarzamy. Praktyka naszego Centrum Profilaktyczno-Leczniczego dowodzi, że jeśli hydrokolonoterapia jest powtarzana raz na kwartał, to wystarczy wykonać jeden zabieg. Jeśli co pół roku, to 2–3 zabiegi, jeśli natomiast raz w roku – co najmniej 6 zabiegów. Jednak jeśli zabieg oczyszczenia jelit przeprowadzany jest samodzielnie przy pomocy lewatywy, to należy go powtarzać dwa razy w roku, wiosną i jesienią, i, co szczególnie istotne, przez 2–3 dni (według metody opracowanej w Centrum).

Jeśli nie ma możliwości wykonania hydrokolonoterapii, w celu oczyszczenia jelita grubego wykorzystujcie następujące lewatywy:

- Do 1,5–2l przegotowanej wody o temperaturze pokojowej dodajcie 1 łyżkę stołową octu jabłkowego lub soku z żurawiny, porzeczki lub cytryny. Jeśli nie macie niczego z wymienionych produktów, wykorzystajcie własną urynę w ilości 0,5–1,0 szklanki.
- Do prawidłowej pracy mięśni niezbędny jest magnez i potas, a burak, jeden z najtańszych produktów żywnościowych, przoduje pod względem zawartości tych pierwiastków.

Szczególnie korzystna jest lewatywa z soku buraczanego: 600–800 g buraka zetrzeć na tarce, dolać 1,5 l wrzątku, dusić przez 20 minut, mieszając od czasu do czasu, zdjąć z ognia, zawinąć i odstawić do naciągnięcia na godzinę. Przecedzić i stosować w stosunku 1:10,5 w postaci lewatyw. Podczas głodówki szczególnie ważne jest, by wykonywać taką lewatywę z 1,5–2 l wody przegotowanej i 1–3 szklanek soku z buraków.

Przybrać pozycję klęku podpartego na łokciach i rozluźnić się. Końcówkę z gumowego wężyka wlewnika Esmarcha należy zdjąć, a wężyk namydlić. Ostrożnie wprowadzić koniec wężyka do odbytu, który również należy nasmarować mydłem [najlepiej szarym lub wazeliną].

W celu lepszego przenikania wody do jelit, należy wykonać spokojny, głęboki wdech brzuchem, wstrzymać oddech, zrobić wydech – i tak kilka razy. Kiedy cała woda wniknie do jelit, wykonajcie kilka ruchów brzuchem: wdech i wydech. W takiej pozycji odbywa się oczyszczenie jelit tylko w odcinku okrężnicy zstępującej i poprzecznej. Odcinek wstępujący okrężnicy, w którym znajduje się większość gnijącej masy złogów kałowych, pozostaje nietknięty.

Aby w pełni oczyścić jelito grube, należy wykonać następujący zabieg: po wprowadzeniu do jelita wody położyć się na plecach, jak najwyżej unieść nogi i miednicę (pozycja „świecy") i powoli ułożyć się na prawym boku, poruszając brzuchem jak przy wdechu i wydechu. Następnie ułożyć się na plecach, po czym powoli wstać. Po upływie 5–10 minut od pierwszej lewatywy należy koniecznie ją powtórzyć. Można nawet zrobić ją po raz trzeci. Taki zabieg zapewnia lepsze odklejanie się gnijących błonek białkowych, które przywarły do śluzówki jelita, oraz ich odprowadzenie na zewnątrz.

Po oczyszczeniu jelita zaleca się od razu przystąpić do oczyszczania wątroby.

Oczyszczanie wątroby

- Wybierzcie 4 dni tak, by oczyszczenie przypadało na sobotę i niedzielę. 3 dni wcześniej przejdźcie na bezbiałkową dietę wegetariańską i herbaty żółciopędne.

W tym czasie pożądane jest picie jak największej ilości soku jabłkowego lub jedzenie kwaśnych odmian jabłek. Codziennie wykonujcie lewatywę. Czwartego dnia o 15.00 należy przyjąć 2 tabletki Allocholu lub innego środka żółciopędnego. Przygotujcie 100–150 ml oliwy z oliwek lub roślinnego oleju rafinowanego. Jeśli macie taką możliwość, weźcie 100 ml soku z cytryny, borówki brusznicy i żurawiny, choć możecie ograniczyć się do samej cytryny. Weźcie 2 szklanki i wszystko zmieszajcie. Jeśli mają Państwo tylko cytrynę, potnijcie ją na cząstki i ułóżcie obok szklanki. Sokiem z cząstki cytryny „popijecie" porcję mieszanki. Podczas przyjmowania mieszanki niekiedy pojawiają się mdłości. By tego uniknąć, rozgniećcie ząbek czosnku, umieśćcie w zamkniętym słoiczku i w razie konieczności powąchajcie czosnek, a wszystko przejdzie.

- O 18.00 zażyjcie 2 tabletki „No-spa". Jeśli macie podwyższone lub obniżone ciśnienie, przyjmujcie po jednej tabletce „No-spa", albo w ogóle z niej zrezygnujcie, ze względu na jej właściwości rozszerzające naczynia. Ponieważ podczas oczyszczania wątroby ma miejsce duża utrata płynów wewnątrztkankowych wraz z potasem (możliwe są kłopoty z sercem), należy pić gorącą herbatę z miodem i cytryną, oraz wywary z suszonych moreli i rodzynek.

- O 18.30 weźcie kąpiel (15 minut) i dobrze się rozgrzejcie. Przygotujcie pościel i równo o 19.00 połóżcie się, umieściwszy termofor w okolicy wątroby, na prawym podżebrzu. Wypijcie na 2–3 razy lekko podgrzaną mieszankę w ciągu 10–15 minut (niektórzy wypijają całą porcję od razu), uprzednio zamieszawszy. W czasie zabiegu najlepiej nie chodzić.

Po upływie 3–8 godzin mogą pojawić się bóle w okolicy prawego podżebrza. W takim wypadku zażyjcie ponownie 2 tabletki Allocholu i 1–2 tabletki „No-spy", połóżcie się w wannie, rozgrzewajcie się przez godzinę, a potem poskaczcie lub postukajcie piętami, stając na palcach. Ponownie połóżcie się do łóżka. Rankiem poczujecie potrzebę udania się do toalety. Następnego dnia, niezależnie od tego, czy wyszły kamienie, w południe wykonajcie zwykłą lewatywę. Może wystąpić chwilowe osłabienie.

Zbierzcie zawartość jelit w miednicy, by sprawdzić, co z was wyszło. O 15.00 lub 16.00 powtórzcie wszystko, czyli zróbcie jeszcze jedno oczyszczenie. Zabieg ten należy powtórzyć dokładnie za miesiąc, a można jeszcze raz za miesiąc, lecz nie więcej niż 3 razy. Potem procedurę trzeba wykonywać 1–2 razy w roku.

Niektórzy źle znoszą olej roślinny, tym bardziej w dużej ilości, jaką zaleca Małachow i Siemionowa. Ponieważ potrzebę dbania o zdrowie uświadamiamy sobie dopiero w wieku dorosłym, kiedy dolegliwości się w nas nagromadziły, to spożycie 200 ml lub więcej oleju stanowi ogromne obciążenie dla wątroby, układu sercowo-naczyniowego i układu wydzielniczego, co może doprowadzić do nieprzewidzianych procesów (szoku kardiogennego – jeśli miałeś wcześniej problemy z sercem, gwałtownego pogorszenia samopoczucia itd.).

Nasza praktyka pokazuje, że jeśli masz więcej niż 40 lat, lub tym bardziej ponad 50 lat, spożycie oleju roślinnego powinieneś ograniczyć do 100 ml. Zmieszaj go ze 100 g biokefiru lub kwaśnego mleka, podgrzej, wymieszaj i wypij, a nie odczujesz nawet, że pijesz olej. Taka ilość oleju z kefirem łagodzi cały proces oczyszczania wątroby, nie wywołując obciążenia poszczególnych układów organizmu.

Należy jeszcze wziąć pod uwagę, że im więcej masz lat, tym mniej gorący powinien być termofor.

Oczyszczanie stawów

Stawy oczyszcza się przy pomocy liścia laurowego. Gotować 5 g liścia laurowego w 300 ml wody 3–8 minut, naciągać 3–4 godziny. Napar najlepiej przygotować wieczorem, a od rana następnego dnia pić po jednej łyżce stołowej (nie więcej na jeden raz!), wypijając całą porcję w ciągu dnia. Powtórzyć to drugiego i trzeciego dnia. Następnie 7 dni przerwy, i znów w ciągu 3 dni przyjmuj napar.

Oczyszczanie krwi

Spośród wielu sposobów polecam metodę oczyszczania krwi przy pomocy herbaty imbirowej. 1,5 g suchego proszku zalać 1,5 l wrzątku i 20 minut trzymać na małym ogniu. Na 5 minut przed zdjęciem z ognia wrzucić szczyptę mielonego czarnego pieprzu. Ostudzić i do ciepłego wywaru dodać 3 stołowe łyżki miodu.

Przyjmować po 1/3 szklanki, zmieszawszy z 1/3 szklanki soku z cytryny i 1/3 szklanki ciepłej wody, 3 razy dziennie, na 30 minut przed posiłkiem. Napar przechowywać w szklanym słoju pod przykryciem na dolnej półce lodówki.

Gimnastyka

Niemieccy uczeni dowiedli, że człowiek, który codziennie tylko 20 minut gimnastykuje się, zapada na choroby 5 do 7 razy rzadziej. Efektywność jego pracy wzrasta o 35–40% i po pięćdziesiątce zyskuje dodatkowych 5 lat życia.

Dla tych, którzy rzeczywiście chcą być zdrowi, pożyteczny z profilaktycznego punktu widzenia jest następujący, niezbyt pracochłonny zestaw codziennych ćwiczeń fizycznych:

- Po przebudzeniu, leżąc na plecach, należy nauczyć się napinać mięśnie zarówno całego ciała, jak i poszczególnych jego części. Rozcierajcie wszystkie powierzchnie, do których jesteście w stanie dosięgnąć, masujcie dłonie, palce i uszy, na których znajdują się punkty projekcji wszystkich narządów.

Rozcierajcie powierzchnię skóry całego ciała należy dlatego, że pod nią znajduje się układ limfatyczny, odpowiedzialny za zbieranie odpadów, powstających podczas pracy komórek, i za niszczenie patogennej mikroflory.

- Zgiąć nieco jedną nogę, stopa do siebie, druga noga masuje tę zgiętą ze wszystkich stron, jakby starając się ją oderwać: podbicie stopy, palce, powierzchnie boczne, mięśnie podudzi, biodra z jednej i drugiej strony (jeśli nie ma żylaków i wrzodów troficznych). To samo wykonać z drugą nogą.

Przywracając w ten sposób ukrwienie kończyn dolnych, jednocześnie zapobiegacie wielu dolegliwościom sercowo-naczyniowym oraz chorobom stawów.

- Złączyć stopy i poruszać nimi do siebie i od siebie, kolana starać się przyciskać do podłogi.

Tymi ćwiczeniem wykluczacie możliwość powstania zastoju w kończynach dolnych, płaskostopia, zwyrodnienia stawów biodrowych, osteoporozy, zapobiegacie rozwojowi żylaków i zaburzeniom troficznym.

Na początku ćwiczenie można uprościć: jedna stopa porusza się po wewnętrznej stronie zgiętej drugiej nogi, której kolano przyciśnięte jest do podłogi. Odbywa się wówczas jednoczesny masaż wewnętrznej strony nogi, podudzia i biodra. Nie wykonywać ćwiczenia przy zakrzepowym zapaleniu żył i żylakach.

Ćwiczenie to jest dobre przy zwyrodnieniu stawów biodrowych, podobnie jak i poprzednie.

- „Chodzenie" na pośladkach. Usiąść na podłodze, nogi wyprostowane (mogą być nieco zgięte). Lewą część ciała – nogę i pośladek – unieść i przemieścić w przód, wykonując przy tym zwrot głową w lewo, a wyprostowanymi rękami – w prawo. Potem wszystko powtarza się prawą częścią ciała: noga z pośladkiem naprzód, głowa w prawo, wymach w lewo. „Przejść" tak 1–2 m do przodu, potem do tyłu – ile razy chcecie.

Ćwiczenie to likwiduje zjawiska zastojowe w okolicy miednicy, zapobiega powstaniu osteochondrozy we wszystkich odcinkach kręgosłupa, normalizuje pracę całego układu pokarmowego, likwiduje zaburzenia układu wydzielniczego i organów płciowych, likwiduje nietrzymanie moczu, wypadanie odbytnicy, pochwy, poprawia potencję, likwiduje obrzęk kończyn dolnych.

- Tańczyć, wykorzystując elementy twista: jedna noga wykonuje skręty piętą wokół palców o 180°, przy nieruchomej miednicy.

Ćwiczenie to sprzyja zapobieganiu lub pozbyciu się zwyrodnienia stawu biodrowego.

Należy zauważyć, że podczas ruchu z powierzchni stawów złuszcza się nabłonek, który zamienia się w maź stawową. Przecież kości i więzadła nie mają własnego systemu krwionośnego, lecz żywią się dzięki przymocowanym do nich mięśniom. Im intensywniej pracują mięśnie, tym lepsze jest ukrwienie kości i więzadeł. Oto dlaczego koniecznie trzeba się poruszać, niezależnie od tego, ile macie lat i na co chorujecie, nie mówiąc już o chorobach stawów.

- Oddychać brzuchem, co zapewnia pracę limfatycznego „serca"– przepony, sprzyjającej nie tylko przepompowywaniu płynu z dołu do góry, ale również masażowi wszystkich narządów wewnętrznych jamy brzusznej i klatki piersiowej.

Oto jak wykonać to ćwiczenie: szybko i lekko zrobić wdech brzuchem (może być głęboki), i, powoli wciągając pępek w kierunku kręgosłupa, wydech. Im dłużej będziecie to robić, tym lepiej.

Może się wydawać, że leczenie nadtlenkiem wodoru można wspomagać wprowadzaniem dodatkowego tlenu przez drogi oddechowe lub tym, by chory człowiek głęboko oddychał, otrzymując przy tym jakby podwójną porcję – według zakorzenionego w medycynie wzorca, że im więcej tlenu, tym lepiej. Okazuje się, że jest odwrotnie. Jak Państwo wiecie, wolne rodniki, tlen molekularny i atomowy różnią się swą strukturą i przeznaczeniem. Istnieje pogląd, że nadmierna ilość tlenu przeszkadza rozkładaniu nadtlenku wodoru na wodę i tlen atomowy, w rezultacie czego ogólna ilość tlenu w tkankach może się nawet zmniejszyć.

Oto dlaczego ludziom, którzy przyswajają sobie rozmaite techniki oddychania, już od 40 lat proponuję naturalny sposób oddychania, dany nam przez Przyrodę, czyli nauczenie się oddychania „nie oddychając". Metoda ta jest jednym z najwłaściwszych sposobów oddychania, dzięki któremu utrzymuje się właściwy stosunek tlenu do dwutlenku węgla, przez co likwiduje się skurcz naczyń włosowatych, będący początkiem choroby.

Prawidłowy z punktu widzenia fizjologii sposób oddychania: kiedy mówicie, ma miejsce szybki wdech, i na długim wydechu prowadźcie rozmowę. Jak oddychacie, gdy śpiewacie? Robicie głęboki wdech, i na długim wydechu śpiewacie, czyli jeszcze bardziej wstrzymujecie oddech. Robi się to, by w organizmie wzrosła ilość dwutlenku węgla, który rozszerza naczynia i zapewnia komórkom lepsze ukrwienie. Ten typ oddychania, w odróżnieniu od wielu innych, możecie stosować wszędzie, gdzie chcecie: idąc, jadąc autobusem, w pracy itd.

A robi się to tak: należy nabrać odrobinę powietrza, trochę wypuścić i wstrzymać oddech na tak długo, jak możecie. Gdy poczujecie, że nie możecie dłużej, wypuście resztę. Odpocznijcie i znowu tak oddychajcie. Trzeba sobie wyobrażać, że mówicie lub śpiewacie, oczywiście milcząc (zresztą jeśli chcecie to śpiewajcie - będzie jeszcze lepiej). Nauczcie się tak oddychać, wstrzymując powietrze na wydechu do 30–40, a najlepiej do 60 sekund. Takich sekund w ciągu doby powinno być w sumie co najmniej 30 minut, a najlepiej godzina. Zapomnicie wówczas o dolegliwościach serca i stawów.

Na początku opanowywania tej metody w okolicy serca może wystąpić nieznaczny ból. Jeśli wcześniej występowały ekstracystole [przedwczesne pobudzenia serca], mogą pojawić się znowu, lecz nie należy na to zwracać uwagi. Stopniowo wszystko się unormuje. Dzieje się tak dlatego, że trwa przestawianie się na naturalny, fizjologiczny sposób oddychania, który usprawnia pracę całego organizmu przez lepsze nasycenie tkanek tlenem.

W swoim mało ruchliwym życiu, szczególnie w starszym wieku, znajdujemy wiele powodów, by nie uprawiać sportu. Nie ma w pobliżu boiska, przeszkadzają psy wyprowadzane na spacer i niepozwalające biegać truchtem itd. Zaproponuję Wam jednak pewien sposób na wzmocnienie zdrowia.

Wielu z Was mieszka w blokach i skarży się, że trudno im wspinać się na 2–5 piętro bez windy. Jak niedogodność tę zamienić w korzyść? Podchodząc do pierwszego schodka, unormujcie oddech, zróbcie wdech, odrobinę powietrza wypuście i idźcie najszybciej, jak możecie, nie oddychając. Gdy poczujecie, że nie jesteście w stanie dłużej wstrzymać oddechu, zatrzymajcie się, wypuście resztę powietrza (w płucach zostało przecież jeszcze wiele powietrza), uspokójcie oddech, i naprzód. Przez pierwsze dni będzie wam dokuczała zadyszka, kołatanie serca, ociężałość nóg, lecz objawy te stopniowo będą zanikać.

Schodzić po schodach również należy „nie oddychając", bo w tym przypadku pracują całkiem inne mięśnie. Kto chodził po górach, ten wie, że wchodzi się łatwiej niż schodzi.

Pokonajcie najpierw 3–5 stopni, a potem więcej i więcej. W ten sposób wzmacnia się układ sercowo-naczyniowy, oddechowy, nerwowy, mięśniowy, poprawiają się procesy przemiany materii, spada masa ciała. Po przyjściu do domu przyjmijcie naprzemienny prysznic i pochwalcie sami siebie: jesteście dzielni. Zadziwiająco jest zbudowany nasz organizm, w którym tkwią ogromne możliwości – szczególnie w układzie oddechowym! Już w swej pracy doktorskiej pisałem o tym, że człowiek więcej powietrza wydycha niż wdycha, bo w Przyrodzie przewidziany jest **fizjologiczny typ oddychania**, polegający na tym, że im mniejszy wdech i czym dłuższe wstrzymanie powietrza przy wydechu, tym lepiej dla organizmu.

- Wielu z Was rano uprawia jogging, czego w żadnym wypadku nie wolno robić. Jak pokazują liczne badania, podczas porannego biegu znacznie wzrasta krzepliwość krwi, a to może być brzemienne w skutki – przyspieszeniu ulega proces arteriosklerozy i powstają zakrzepy naczyń.

Odżywianie

Moje wieloletnie doświadczenie ludowego uzdrowiciela pozwala wysnuć wniosek, że spośród wszystkich proponowanych systemów żywienia palmę pierwszeństwa trzeba przyznać **żywieniu rozdzielnemu,** i w życiu codziennym należy przestrzegać następujących podstawowych zasad:

- Rano, przed godziną 7.00 czasu lokalnego, wypijajcie szklankę wody o temperaturze pokojowej. W ciągu dnia, co każde 2–3 godziny, po 50–70 ml, co jest szczególnie ważne dla starszych osób. Pomoże to pozbyć się jednego z najpowszechniejszych zaburzeń działania pęcherzyka żółciowego – wydalić z niego nagromadzoną po nocy żółć, z której tworzą się kamienie.

Pijcie płyny nie później niż 10–15 min przed posiłkiem i nie wcześniej niż 1,5–2 godziny po nim. Po posiłku usta można przepłukać, ale nie połykać wody. Najlepiej pić tylko stopniałą wodę.

- Nie gotujcie i nie jedzcie w stanie gniewu. Miejcie zawsze pozytywne nastawienie.
- Przestrzegajcie następującego stosunku pokarmów: białka (głównie roślinne) – 15–20%; pokarmy roślinne – 50–60% (im więcej surowych, tym lepiej); węglowodany – 30–35% (lub po prostu 1:5:3).

Białka – mięso (nie tłuste, białe mięso drobiu), ryby, jajka (na miękko), buliony (pierwszą wodę zlać), strączkowe, grzyby, orzechy, nasiona.

Pokarm roślinny – warzywa, owoce, jagody, soki, konfitury.

Węglowodany – zboża (im grubiej mielone ziarno, tym lepiej), mączne (im mniej, tym lepiej), kasze, ziemniaki, cukier, słodycze, miód.

Ilość **tłuszczów** nie powinna przekraczać 5–10%. Spożywajcie klarowane masło śmietankowe, smalec, słoninę, olej roślinny tylko w świeżej postaci, słonecznik, orzechy.

W charakterze przypraw używajcie różnych octów.

Z wiekiem konieczne jest ograniczenie spożycia białek zwierzęcych: mięsa i ryb do 2–3 razy w tygodniu, a jajek – do 10 sztuk w tygodniu.

Żywność pochodzenia roślinnego (sałatki, surówki) najlepiej spożywać 8–10 minut przed pokarmem węglowodanowym lub białkowym.

- Zasadniczo nie powinno się mieszać pokarmów węglowodanowych z białkowymi. Zarówno pokarm białkowy jak i węglowodanowy można jeść z roślinnym. Na przykład można przygotować taką kanapkę: mięso + liść świeżej kapusty + mięso + kapusta kiszona.

  Po spożyciu pokarmu białkowego produkty węglowodanowe wolno jeść dopiero po upływie 4–5 godzin. Po spożyciu pokarmu węglowodanowego, produkty białkowe można jeść po 3–4 godzinach.
- Zrezygnujcie z potraw smażonych, tłustych rosołów, słodkiego mleka, sztucznej i rafinowanej żywności (produktów wędzonych, kiełbas, wyrobów cukierniczych, ciastek, białego chleba).
- Cukru i soli używajcie z umiarem: cukier – do 30–40 g na dobę, sól – do 3 g na dobę.

Pokarm koniecznie dokładnie przeżuwajcie, aż do momentu, gdy w ustach zniknie jego smak. Wówczas moment nasycenia następuje szybciej, a objętość zjadanych porcji zmniejsza się dwu- i trzykrotnie, co prowadzi do unormowania masy ciała.

- Wszystkie posiłki starajcie się jeść świeżo przygotowane. Pokarm odgrzewany lub spożywany kilka godzin po przygotowaniu jest już „martwy”.

- Nie zalecam spożywania posiłków i picia płynów w gorącej postaci. Ich temperatura powinna mieścić się w granicach 35–38°C.

- Ponieważ spożywanie pokarmu, jego trawienie, wchłanianie i odprowadzenie odpadów to pracochłonny proces energetyczny, posiłek powinien być jednorodny, świeży, w większości roślinny.

- Proces trawienia pokarmu to praca wymagająca dość dużego wysiłku, dlatego po obfitym posiłku dobrze jest odpocząć 20–30 minut, ale nie spać.

- Spożywajcie posiłki co najmniej 3–4 razy dziennie, lecz w niewielkich ilościach. Lepiej zrezygnować z posiłku niż przepełnić żołądek, który też musi odpoczywać.

- Kolacja nie powinna być jedzona później niż o godzinie 18–19.

- Raz lub dwa razy w tygodniu należy robić dzień odciążający układ pokarmowy (na sokach i owocach), który powinien trwać od 24 do 36 godzin, lub głodówkę ze spożyciem stopniałej wody.

Wiele osób (szczególnie cierpiących na niskie ciśnienie) nie może obejść się bez kawy, wiążąc jej pobudzające działanie z kofeiną. Ale to nie całkiem tak. Palone ziarno drzewa kawowego podczas zaparzania wydziela dodatkowo nadtlenek wodoru, którego w jednej filiżance jest do 750 mg. Zatem pijcie kawę na zdrowie, tylko nie nadużywajcie jej, szczególnie nadciśnieniowcy.

- Spożyty pokarm powinien być zrównoważony wysiłkiem fizycznym.

Pamiętajcie, że jaki pokarm, taki stolec. Przychód (objętość pokarmu) powinien być mniejszy, a rozchody (ruch) powinny być większe.

- W czasie chorób przebiegających z towarzyszącym im podwyższeniem temperatury ciała, najlepiej nic nie jeść do chwili unormowania temperatury, tylko pić wodę i soki.

Zastosowanie się do tych zasad żywienia pozwala zachować czystość przewodu pokarmowego po jego oczyszczeniu, stwarzając właściwe warunki dla działalności wszystkich narządów i układów organizmu.

Myśl

Dzisiaj jest już oczywiste, że nasza myśl jest takim samym materialnym procesem, jak pozostałe procesy zachodzące w przyrodzie, lecz dotychczas niewiele było w pełni obiektywnych dowodów na poparcie tego faktu.

Na przykład Maria Iwanowna Szaduri (Gruzja), doktor nauk biologicznych, wykorzystując efekt Kirliana dowiodła, że nasza myśl uwidacznia się w czasie rzeczywistym w promieniowaniu pochodzącym od palca. Za pomocą tej metody, nazwanej biohologramem, wykazano, jak myśl kieruje ciałem, podczas gdy ani medycy, ani biochemicy, przyzwyczajeni do rozczłonkowywania organizmu na części, nie zdołali odpowiedzieć na to pytanie.

Zdjęcie palców, będące dynamicznym hologramem, pozwala wyrobić sobie zdanie nie tylko na temat stanu zdrowia całego ciała (równe świecenie), ale i na charakter choroby tego czy innego narządu. Im poważniej chory jest narząd, tym jaśniej i wyraźniej świeci on sam. Poza tym przy pomocy takiego obrazka dowiadujemy się o tym, co zachodzi wewnątrz niego nawet wówczas, gdy jeszcze nie odczuwamy choroby, w tak zwanym okresie prodromalnym. Stąd wniosek: należy wyobrażać sobie chory narząd jako zdrowy, i wówczas wysłany zostaje rozkaz jego uzdrowienia.

Myśl powstaje jako obraz, a nie mowa. W tym tkwi istota i zaleta nowej metody leczenia – wizualizacji [przy pomocy imaginacji, wyobraźni]. Negatywne obrazy rujnują. Strach, przygnębienie, niezdecydowanie i nieufność to początek uruchamiania negatywnych programów.

Stąd wniosek: należy wyobrażać sobie chory narząd jako zdrowy, i wówczas wysłany zostaje rozkaz jego uzdrowienia.

Strach przed rakiem to początek choroby. Jeśli wierzysz, że nie masz raka i nie będziesz go mieć, to organizm sam, przy pomocy zjawiska apoptozy (mechanizm likwidowania wszystkiego, co przeszkadza w prawidłowym działaniu), usunie proces patologiczny.

Centrum Leczniczo-Profilaktyczne profesora Nieumywakina

W WIECZNEJ zawierusze szybko mijającego życia przypominamy sobie o naszym ciele zazwyczaj dopiero wówczas, gdy zaczynamy chorować. Do 20.–25. roku życia doroślejemy, uczymy się; od 25. do 45. roku życia poświęcamy się rodzinie, dorabiamy się; od 45. do 60. – oddajemy nagromadzoną wiedzę. Wydaje się, że jeszcze nie zdąży się pożyć, a już pora iść na emeryturę. Dobrze, jeśli jest się czym zająć i czemu poświęcić czas, lecz najczęściej człowiek, który pędził przez życie, napotyka ścianę bezczynności i czuje się nikomu niepotrzebny, popada w choroby, na które wcześniej nie zwracał uwagi. Efektem jest zawał, udar i życie się kończy.

Nikt nas nie uczył w młodości, ani tym bardziej na starość, jak być zdrowymi. Wciąż pędząc, żyjąc dla innych (państwa, dzieci, które utrzymujemy do starości, itp.), cały czas do czegoś dążymy (stanowiska, tytuły, bogactwo), spieramy się, a przecież na to wszystko potrzebne są siły i energia, których z upływem lat jest coraz mniej. Prawidłowo czynią ludzie za granicą – każdy niesie własny krzyż i za niego odpowiada.

Przez całe życie ani razu nie wykazujemy zainteresowania tym, jak działa najbardziej skomplikowana fabryka w naszym wnętrzu. A przecież Przyroda nagrodziła nas właściwościami, których nie posiada nikt inny: samowystarczalnością, samoregulacją i samoregeneracją. Tylko że o organizm, podobnie jak o samochód, trzeba dbać, robić okresowe przeglądy, naprawy, smarowania (gimnastyka), nie mieszać benzyny z naftą (uporządkować odżywianie) itd.

I chociaż wymaga to pokonania określonych trudności, przejścia na inny tryb życia (odżywiania, ruchu, hartowania się), to pozbyć się chorób i zachować rześkość można w każdym, nawet starszym wieku.

Droga do zdrowia to praca nie mniej ważna niż jakakolwiek inna. Poświęciwszy na nią jakieś 30–60 minut dziennie, stopniowo zaczniecie rozumieć, że zdrowia nie da się kupić, tylko trzeba na nie zapracować! Jednak rezultaty takiej pracy są warte włożonego w nie wysiłku i pozwolą Wam żyć w pełnym zdrowiu o własnych siłach, a także nie stanowić na starość ciężaru dla dzieci.

Sami jesteście sobie winni, że spotykają Was choroby, a zrozumieć przyczyny tego, co się dzieje z Waszym zdrowiem, pomogą Wam pracownicy naszego Centrum Leczniczo-Profilaktycznego, w którym zastosowano optymalne metody i środki udzielania pomocy medycznej, bez których wyleczenie pacjentów jest praktycznie niemożliwe. Podstawą naszej pracy jest korzystanie z doświadczenia zgromadzonego przez medycynę ludową oraz z wiedzy o wzajemnych powiązaniach pomiędzy wszystkimi narządami i układami. Możliwe, że stanie się to zaczątkiem medycyny przyszłości, której podstawą będzie wiedza medycyny tradycyjnej i doświadczenie ludowej.

Do metod tych zalicza się:

- **Ocena stanu pacjenta przy pomocy komputerowej diagnostyki irydologicznej** (na podstawie tęczówki oka) i metody biolokacyjnej (na podstawie odczytu informacji z powłoki biopola – aury, która otacza człowieka);
- Oczyszczenie organizmu z odpadów przy użyciu **hydrokolonoterapii**, z uwzględnieniem indywidualnych właściwości pacjenta, zastosowanie rozmaitych metod naturalnych, szczególnie tlenu atomowego, jako jednego z najmocniejszych antyoksydantów, który niszczy każdą patogenną mikroflorę i likwiduje niedotlenienie tkanek, stanowiące przyczynę wszystkich chorób, w tym nowotworowych;
- Wykorzystanie niemających odpowiedników, autorskich **metod wzmacniania układu odpornościowego oraz procesów bioenergetycznych**;

- Korekcja kręgosłupa przy pomocy oryginalnego **masażu uderzeniowo-falowego** (metoda autorska), dzięki któremu w ciągu 1–2 seansów przywracane jest właściwe położenie kręgów względem siebie, od czego nierzadko zależy całe zdrowie człowieka;
- **Limfodrenaż** – limfa to płyn międzytkankowy, który nasącza wszystkie tkanki i odpowiada za usuwanie z nich produktów metabolizmu; oczyszczenie limfy po hydrokolonoterapii pozwala znacznie skuteczniej uzyskać stan ogólnego oczyszczenia organizmu;
- **Korekcja struktury biopola** (pomożemy Wam rozeznać się w sytuacji panującej w rodzinie, w pracy, pomożemy poprawić te stosunki. Nauczymy, jak samodzielnie przeciwstawiać się negatywnym wpływom energoinformacyjnym. Za pomocą tak zwanych magnetronów, które nie mają odpowiedników nigdzie na świecie – biokorektorów, bransolet, lejków i innych wyrobów, które swą strukturą i gradientem dokładnie odpowiadają polu magnetycznemu Ziemi – dokonywane jest naturalne doładowanie energią, a tym samym odbudowanie struktury biopola człowieka);
- Ultrafioletowe napromieniowanie krwi (przy użyciu aparatu „Helios-1");
- Leczenie nadtlenkiem wodoru;
- Leczenie sapropelem [szlam gliniany powstały w środowisku wodnym], preparatem z naturalnych złóż;
- Sporządzenie zaleceń uwzględniających indywidualne cechy pacjenta i charakter jego dolegliwości.

W naszym Centrum Leczniczo-Profilaktycznym pracują wykwalifikowani specjaliści, w tym również doktorzy nauk medycznych, posiadający wielkie doświadczenie w dziedzinie medycyny ludowej. Przytulne gabinety, ciepła atmosfera i wzajemne zrozumienie rodzi atmosferę zaufania, która pozwala na leczenie się całymi rodzinami. I chociaż wymaga to pokonania określonych trudności, przejście na inny tryb życia (odżywiania, ruchu, hartowania się), stanowi drogę do pozbycia się chorób, zachowania rześkości, i to w każdym, nawet starszym wieku. Potem wszystko będzie zależeć już tylko od Was, Waszego wyboru, jaką drogą życiową chcecie kroczyć: odzyskać zdrowie czy przewegetować wśród dolegliwości i chorób, trwoniąc czas i pieniądze w poszukiwaniu dobrych lekarzy, bez jakichkolwiek gwarancji wyleczenia.

Wystarczy przebudować swą świadomość, zacząć powoli przechodzić na drogę zdrowia zgodną z Przyrodą, a uzyskacie drugą młodość, zachowując zdolności wynikające z wieku.

Doświadczenie Centrum Leczniczo-Profilaktycznego, na czele którego stoję, stanowi tego najlepsze potwierdzenie. Jego pacjenci, stawiając kolejne kroki na drodze do zdrowia pod kierunkiem doświadczonych specjalistów i wykorzystując otrzymane zalecenia, osiągają znaczne sukcesy i odzyskują zdrowie.

Opinie pacjentów

Nazywam się N. Almazow i od 7 lat cierpię na stwardnienie rozsiane. Niezależnie od tego, że leczyłem się już wszędzie (szpital miejski, wojewódzki i inne), nie ma żadnych rezultatów, a nawet mój stan uległ pogorszeniu. Nieraz przychodziłem do szpitala na własnych nogach, a odwozili mnie do domu samochodem. Leczyłem się u profesora Nieumywakina, gdzie wraz z zastosowaniem nadtlenku wodoru wewnętrznie i do nosa, przeprowadzono oczyszczenie jelit za pomocą hydrokolonoterapii, korektę kręgosłupa, limfodrenaż i ultrafioletowe napromieniowanie krwi, co trwało jakieś 10-12 dni. Wcześniej prawie nie mogłem się poruszać ze względu na ból nóg i zachwiania równowagi. Po korekcie kręgosłupa poruszam się swobodnie i nogi już mnie nie bolą. Wcześniej, by spojrzeć za siebie, musiałem odwracać się całym ciałem, a teraz swobodnie kręcę głową. Wcześniej miałem 3-5 dniowe zaparcia, a podczas wypróżniania oczy wychodziły mi z orbit. Teraz wszystko jest w normie i odbywa się bez wysiłku. Poprawił mi się wzrok. Wcześniej byłem w stanie czytać jedynie wielkie litery, a teraz mogę przeczytać nawet drobny druk. Wcześniej wstawałem 2-3 razy w ciągu nocy, a teraz przesypiam całą noc. Wszystkiego tego, czego nie są w stanie zrobić ogromne zespoły pracujące w placówkach medycznych, dokonano w Centrum, w którym pracuje tylko kilku lekarzy. Podczas mojego ostatniego pobytu w szpitalu powiedziano mi wprost: „Nie możemy Panu pomóc". I tak nie udzielali mi żadnej pomocy. Komu jest potrzebna taka medycyna?! Lepiej stworzyć więcej Centrów podobnych do tego profesora Nieumywakina, gdzie pacjenci spotykają się nie tylko ze zrozumieniem, ale i z pomocą, której tak bardzo potrzebują, będąc nikomu niepotrzebni!

Iwanie Pawłowiczu! My, pacjenci widzimy, ile sił poświęca Pan każdemu z nas. Dlatego też życzę Panu i wszystkim Pańskim współpracownikom krzepkiego zdrowia.

Moskwa

Jestem wdzięczny losowi za to, że spotkałem na swej drodze profesora Nieumywakina. Moja żona od dawna cierpi na chorobę Parkinsona. Garściami łykała lekarstwa, od których czuła się jeszcze gorzej. Nie mogła chodzić samodzielnie, przewracała się, traciła orientację w przestrzeni, trzęsły jej się ręce i głowa, przez co praktycznie niczego nie mogła sama robić. Miała alergię na wszystkie produkty spożywcze koloru czerwonego.

Dowiedzieliśmy się o profesorze Nieumywakinie. Zgodnie z jego zaleceniem już 7 miesięcy stosujemy wewnętrznie nadtlenek wodoru, wcieramy go w całe ciało i zakrapiamy do nosa. Przeprowadziliśmy oczyszczenie organizmu: jelita grubego przy pomocy hydrokolonoterapii, wątroby – według szczególnej metody Ludmiły Stiepanownej, naświetlanie krwi ultrafioletem, korektę kręgosłupa – i w ogóle wszystko, co wykonują w „Centrum" Iwana Pawłowicza. Rezultaty widoczne są gołym okiem: żona zaczęła chodzić, sama wykonuje wszystkie podstawowe czynności, odzyskała mowę, pamięć, pozbyła się alergii na czerwone produkty. Znacznie zmniejszyły się dawki przyjmowanych lekarstw, a niekiedy nawet zapominamy o ich zażyciu – bierzemy je raczej z przyzwyczajenia.

Ja zresztą także zacząłem przyjmować nadtlenek wodoru (na pozostałe zabiegi nie mam pieniędzy). Czuję, że zwiększyła mi się wydolność, znikło uczucie ciężaru w żołądku, unormował się stolec. Mam wrażenie, że odmłodniałem o 5-10 lat. I stało się to po wieloletnim przesiadywaniu w poczekalniach różnych lekarzy, którzy mimo całego arsenału przyrządów, widząc nas jedynie rozkładali ręce w geście bezsilności. Tymczasem w „Centrum" profesora Nieumywakina wszystko jest łatwe, zrozumiałe, i przede wszystkim robione z chęci pomocy pacjentowi. Z wrażliwością i pragnieniem udzielania pomocy wyjaśniają tam, co człowiek powinien samodzielnie robić. Wnikają również w przyczyny choroby. Uświadamiają, że bez osobistego wysiłku nie da się niczego osiągnąć.

Wielkie dzięki Panu za to wszystko, Iwanie Pawłowiczu. Życzymy Panu i Pańskim współpracownikom dużo zdrowia.

Rodzina Kulikowych z Moskwy

Komentarz. Jak widać z opinii pacjenta, zabiegi przeprowadzone z udziałem nadtlenku wodoru i napromieniowania krwi UV dały dobrze rokujący efekt.

Nadtlenek wodoru jest nie tylko dodatkowym źródłem tlenu dla niedotlenionych komórek, likwidującym hipoksję, będącą powodem wszelkich zmian patologicznych z nowo-

I.P. Nieumywakin, 2004 r.

tworami włącznie, lecz również swego rodzaju „czyścicielelem", będącym silną substancją toksyczną, zdolną do walki z wszelką patogenną mikroflorą. Oto dlaczego w pierwszej kolejności należy uporządkować pracę układu pokarmowego i uruchomić układ immunologiczny, czemu sprzyja także naświetlanie krwi UV za pomocą skonstruowanego przez nas unikalnego aparatu „Helios-1", który różni się od wszystkich istniejących analogicznych przyrządów

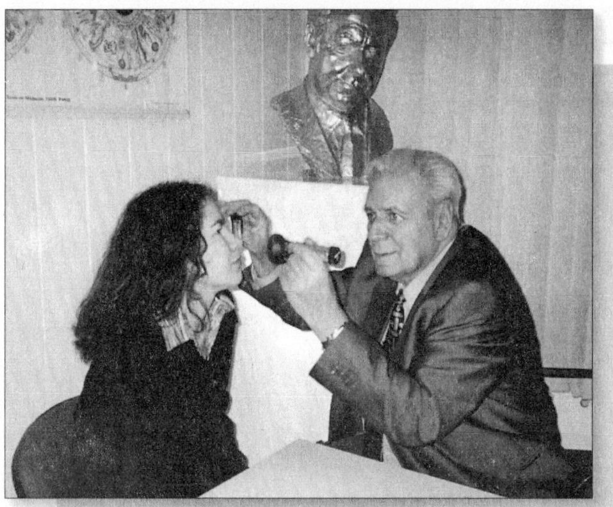

I.P. Nieumywakin prowadzi irydodiagnostykę [diagnostykę na podstawie tęczówki oka], **2004 r.**

Drogi Iwanie Pawłowiczu! Wielkie dzięki i niski pokłon za pracę i troskliwą miłość do nas – cierpiących na różne choroby. Jako osobowość stanowi Pan element leczenia w swym Salonie Leczniczo-Profilaktycznym. Słowo „salon" to określenie związane z pięknem. A Pan oczyszcza nas z wewnętrznego brudu, by organizm był czysty i działał jak nowy. Po przejściu cyklu leczenia, który zawiera głębokie oczyszczenie jelit za pomocą unikalnej metody, ultrafioletowe naświetlenie krwi, zadziwiającą w swej prostocie i skuteczności korektę kręgosłupa, nie wspominając już o sprawiającym cuda nadtlenku wodoru, wypiękniałam w 50%. Nie mam słów, by przekazać wdzięczność Panu i Pańskim współpracownikom. Postaram się, by o Panu i Pańskim Centrum dowiedział się szeroki krąg ludzi w Izraelu.

Nina Yogen-Mogilewska, Hajfa, Izrael

Mam 71 lat, jestem inwalidą II grupy, przeżyłem wybuch w Czarnobylu i mam cały wachlarz dolegliwości: stenokardię, bóle stawów, nadciśnienie. Podczas badania profesor Nieumywakin wykrył wysoki stopień zanieczyszczenia organizmu. Po kompleksie zabiegów wykonanych w Centrum po raz pierwszy od wielu lat poczułem się jak człowiek mogący swobodnie poruszać się bez ataków stenokardii. Wcześniej samodzielnie wykonywałem oczyszczanie wątroby i jelit według różnych recept, ale bez rezultatu.

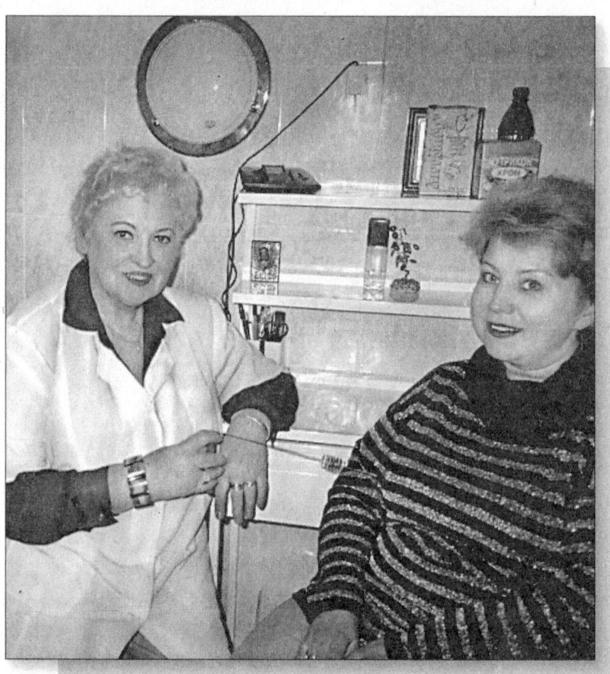

Ludmiła Stiepanowna Nieumywakina prowadzi energoinformacyjną ocenę struktury biopola pacjentki, 2004 r.

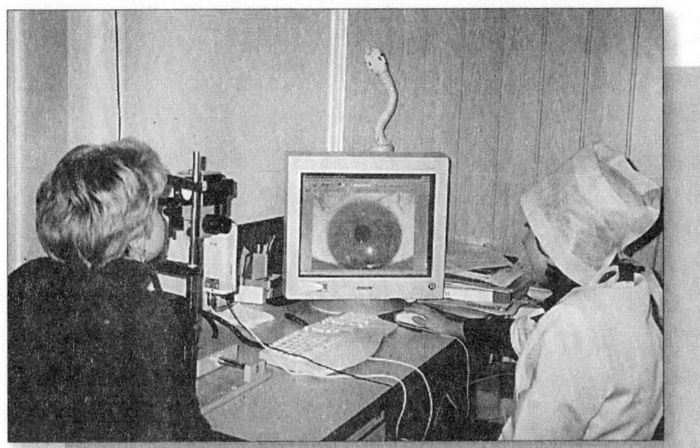

Doktor nauk medycznych E.A. Pappas wykonuje irydodiagnostykę komputerową, 2004 r.

Gdy oczyszczałem się metodą Iwana Pawłowicza, wyszło ze mnie tyle świństwa, że moje zdziwienie nie miało granic. W ciągu 2003 roku trzykrotnie leżałem w szpitalach wojskowych im. Wiszniewskiego i im. Burdenko [jeden z najlepszych szpitali w Rosji]. Skutek był taki, że nie mogłem już funkcjonować bez nitrogliceryny. Od marca zażywam nadtlenek wodoru, zakrapiam nim nos i robię kompresy na różne części ciała. Proste i skuteczne.

Pragnę dodatkowo podkreślić stosunek personelu Centrum do pacjentów. Wrażliwość i życzliwość odgrywają znaczącą rolę w procesie zdrowienia, co odczułem na sobie.

Co ważne, uczą nas tutaj, że chorujemy przez własne lenistwo i liczenie na to, że ktoś będzie dbał o nasze zdrowie za nas. Wyjaśniają, co robić i jakich zaleceń się trzymać. Szczególnie wiele z nich można znaleźć w książce „Endoekologia zdrowia".

Borys Iwanowicz Siemaszko, Moskwa

Choruję od 1994 roku, przebyłam 4 zawały, mam niedokrwienie mięśnia sercowego, stenokardię napadową, arytmię. Niemal co kwartał ląduję w szpitalu. Ból w plecach nie pozwalał mi na wspięcie się na 4 piętro, gdzie mieszkam, dlatego zmuszona byłam nie opuszczać domu. Dusiłam się, garściami przyjmowałam lekarstwa, a pani kardiolog powiedziała, że nie jest w stanie mi pomóc. Usłyszałam o profesorze Nieumywakinie i udałam się do niego, do Centrum. Spojrzawszy na mnie, orzekł, że postawi mnie na nogi w ciągu 1-2 tygodni. Pomyślałam: „Jakaś bzdura - 10 lat cierpień, wizyty u wielu lekarzy, i nikt nic nie wskórał, a on mi mówi o 2 tygodniach!". Nie miałam jednak wyboru i musiałam zgodzić się z doktorem.

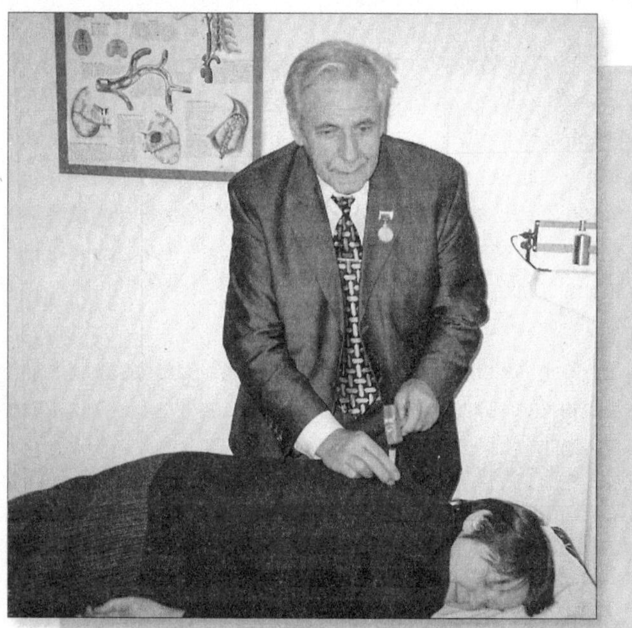

I.P. Nieumywakin prowadzi masaż uderzeniowo-falowy, 2004 r.

Wraz z początkiem serii zabiegów zaczęły dziać się ze mną cuda. Po przeprowadzeniu uderzeniowo-falowego masażu kręgosłupa, opracowanego przez doktora wraz z J.N. Grabar, znikły bóle w okolicy serca, a po czterech zabiegach hydrokolonoterapii i limfodrenażu zrezygnowałam z tabletek. Oczyszczenie jelit to jakaś magiczna czynność. Wyszło ze mnie tyle śmieci... A ja nigdy nie zastanawiałam się nad tym, co dzieje się wewnątrz mnie.

Iwan Pawłowicz powiedział, że jelito grube rozciągnęło się i podniosło o 10-12 mm, i uciska serce, które nie może prawidłowo pracować. Dlatego nie pomagają żadne lekarstwa. A w okolicy odcinka piersiowego kręgosłupa kręgi odpowiadające za pracę serca całkiem „zardzewiały". Trochę korekty kręgosłupa rękami Iwana Pawłowicza zdziałało cuda i odmłodziło mnie o 10 lat (a mam 72 lata). Oczywiście, że było to bolesne, za to teraz chodzę bez przeszkód bez zadyszki. Nie mam już arytmii i bólu w okolicy serca. Teraz jestem w stanie sama o siebie zadbać. Po tym, jak nadtlenek wodoru zaczął działać, już się z nim nie rozstaję.

Jestem bardzo wdzięczna całemu personelowi medycznemu za to, że robią to, czego oficjalna medycyna nie może i nie umie robić. Tysiąckrotne dzięki za to, że przywróciliście mnie życiu. Teraz rozumiem, że zdrowie w znacznej mierze zależy od nas samych i obiecuję stosować się do zaleceń otrzymanych w Centrum. Za książkę „Endoekologia zdrowia" należy powiedzieć oddzielne „dziękuję". Nie ma nic podobnego na półkach księgarń sprzedających literaturę prozdrowotną. Jest to skarbnica wiedzy o zdrowym stylu życia. Nic, tylko czerpać i stosować w praktyce!

Nina Maksymowna Kowaliowa, Moskwa

Zachorowałem na stwardnienie rozsiane w 2001 roku. Poczułem, że coś jest nie tak z nogami. Chód stał się chybotliwy, nie mogłem długo ustać, zaczęły niepokoić mnie bóle w okolicy lędźwiowej. Niezależnie od leczenia, mój stan pogarszał się, chociaż leczyłem się w Neurologicznym Instytucie Naukowo--Badawczym i w szpitalach wojskowych. W szpitalu lotniczym wykryto u mnie zmiany w odcinku szyjnym kręgosłupa i zaproponowano mi operację bez jakiejkolwiek gwarancji na poprawę. Ostatnimi czasy wystąpiły nie tylko kłopoty z chodzeniem, ale i drętwienie nóg, rąk. Jelita przestały w ogóle działać bez pomocy środków przeczyszczających. Pomyślałem, że nadchodzi koniec. W informatorze „ZSZ" przeczytałem o Centrum profesora Nieumywakina i wystarałem się o wizytę u niego. W ciągu pół godziny wyjaśnił mi, co się ze mną dzieje, co można począć i, nie obiecując za wiele, przystąpił do wykonywania zabiegów, zaczynając od korekty kręgosłupa.

Nie spotkałem się z niczym podobnym. Przy pomocy młoteczka i drewnianej płytki przejechał po kręgosłupie, postukał po szczególnie chorych miejscach, pomanipulował palcami (wszystko to robił, żartując) i nawet nie zauważyłem, jak zniknął ból z kręgosłupa, a szczególnie z okolic miednicy. Wstałem – i już nie było bólu. Przeszedłem się nawet bez laski. Cud. Przepłukano mi jelito grube, naświetlono krew UV, zacząłem przyjmować nadtlenek wodoru i zakrapiać go do nosa, a także robić lewatywy z nadtlenku i Mumio.

Minęło jakieś 10 dni i znów poczułem się jak człowiek. Chodzę już po domu bez laski, drętwienie ustało, chód stał się normalny. Iwan Pawłowicz zrobił też coś z moją szyją. Przestało mi się kręcić w głowie, ustał ból głowy – czyli wszystko wraca do normy. I wszystkiego tego dokonuje jeden lekarz z darem od Boga, profesor Nieumywakin z pomocnikami, zastępując całe instytuty! Teraz, wiedząc, co mam robić, mam nadzieję na zdrowie. Wiedząc, co mogę zrobić samodzielnie, wykonuję wszystkie zalecenia rozumiejąc, że polegać na tradycyjnej medycynie to próżny trud.

W.D. Kabulko, Moskwa

To miło, że praktycznie wszyscy pacjenci, którzy przeszli cykl leczenia w Centrum – niezależnie od charakteru choroby – piszą, że Centrum to ostatnia deska ratunku. Śmiem Was zapewnić, że wszyscy oni odczuli poprawę zdrowia, stali się prawdziwymi wyznawcami zdrowego stylu życia, i z tej drogi już nie zboczą.

Zainteresowanych informuję o lokalizacji naszego Centrum Leczniczo-Profilaktycznego:

Adres:

127642, Moskwa, przejazd Dieżniewa 19, korpus 1,
(127642, Москва, проезд Дежнева, 19, кор. 1)

Telefon: **(095)** [ostatnio zmieniono na (495)] **180-94-18**

Sposób dotarcia:

stacja metra – „Sviblovo" («Свиблово»), autobus 61,
czwarty przystanek – „Zapovednaya" («Заповедная»)

Godziny przyjęć:

od 10.00 do 20.00, za wyjątkiem soboty i niedzieli

Nie mamy pokojów noclegowych.

Podsumowanie

CHOCIAŻ oficjalna medycyna bierze swój początek w medycynie ludowej, którą Ministerstwo Zdrowia Federacji Rosyjskiej darzy sympatią, nadal robi się wszystko, by postępowe tendencje tradycyjnej medycyny ludowej były ignorowane, mimo że dziś wiele osób rozumie, iż bez integracji wysiłków medycyny oficjalnej i wielowiekowego doświadczenia medycyny ludowej nie uda się wyjść ze ślepego zaułka.

Oczywiście ogromne znaczenie ma kompleks nastawionych na profilaktykę przedsięwzięć przywracających zdrowie, w tym rozwiązanie wielu problemów społecznych, ekonomicznych i ekologicznych, a szczególnie obyczajowych. Jest to jednak możliwe wyłącznie na poziomie państwowym. Na zachodzie dawno już to zrozumiano, i troska o pomyślność obywateli jest zagadnieniem ogólnonarodowym.

Zapewne nasze życie polega na walce starego z nowym – taka jego proza, która każe żyć w oczekiwaniu na lepsze jutro. Taka ulotna i jednocześnie określona postawa pomaga człowiekowi żyć i przeżyć. Jest ona właściwa szczególnie „ruskiemu człowiekowi", na którego barki spada tyle przeciwności, że inne narody dawno by już wymarły. A my żyjemy i mamy nadzieję. Na tym właśnie polega mentalność i siła narodu rosyjskiego oraz istoty jego ducha.

Kończąc książkę, wyjawię Wam niepokojącą tajemnicę. Otrzymuję wiele listów od lekarzy, którzy wykonują dożylne wlewy nadtlenku wodoru. Wiecie, co oni robią? Upewniwszy się, że nie są w stanie czymkolwiek pomóc pacjentowi, piszą w historii choroby, że aplikują glukozę, a w rzeczywistości wprowadzają nadtlenek wodoru. A wtedy pacjent wraca do zdrowia. Kogo my oszukujemy i jak długo będziemy trwać w takim powszechnym zakłamaniu? Mówi się, że jest to jeden z grzechów głównych, a my wciąż marzymy o jakichś jasnych ideach, śniąc o wzajemnym zaufaniu. Przecież nie ma nic prostszego: niech każdy robi to, co spowoduje, że inni będą czuli się lepiej. Jeśli tylko zasada ta stałaby się prawem, nasze życie naprawdę byłoby zdrowe i szczęśliwe! Czy tego dożyjemy? A przecież o tym marzylo i marzy tyle ludzi...

Wielu pyta mnie o metody, które stosuję na sobie. Moja historia stanowi zaprzeczenie obiegowej opinii, panującej w oficjalnej medycynie, jakoby proces arteriosklerotyczny był nieodwracalny. Gdy miałem 52 lata, lekarze postawili diagnozę: proces arteriosklerotyczny ze szczególnym porażeniem mózgu i serca, przy ciśnieniu krwi 160–180/100–120, pulsie 75–86; arytmia i wiele innych towarzyszących temu chorób, takich jak reumatoidalne zapalenie stawów. Z punktu widzenia oficjalnej medycyny powinienem być przewlekle chory albo w ogóle nie żyć.

Jednak już wcześniej dużo czytałem i dobrze orientowałem się w środkach medycyny ludowej, choć niczego nie stosowałem. Zacząwszy na miarę swych możliwości gimnastykować się, stosować żywienie rozdzielne z równoczesnym ograniczeniem objętości porcji, oddychaniem przeponowym ze wstrzymywaniem powietrza na wydechu przez minutę do czterech, biegiem truchtem, prysznicami naprzemiennymi, ogólnym hartowaniem organizmu (na działce, niezależnie od pory roku, chodzenie boso i w szortach), osiągnąłem znaczną poprawę stanu zdrowia.

Jednak szczególnie dobrze poczułem się, gdy zacząłem zażywać nadtlenek wodoru i stosować go dożylnie. Ciśnienie krwi spadło do 120–130/75–80, puls w spoczynku wyniósł 55–60, w czasie snu 45–50, z rzadka pojawiały się ekstracystole (przedwczesne pobudzenia serca), ale ja ich nie zauważałem.

Wraz ze mną cała rodzina zażywa nadtlenek nie tylko wewnętrznie i zakrapiając go do nosa, ale też wstrzykuje go sobie w warunkach domowych do żyły przy pomocy strzykawki. Żyjemy, cieszymy się zdrowiem i życzymy tego również Wam.

W naszym centrum nie wykonuje się wprowadzania wewnętrznego nadtlenku wodoru, ponieważ oficjalna medycyna nie pozwala stosować tej metody. Nie pozwala na to również mała powierzchnia centrum.

Praca w charakterze ludowego uzdrowiciela to nie tylko obciążenie psychiczne, którego udźwignięcie wymaga gruntownej znajomości fizjologii i stanów patologicznych oraz metod ich korygowania. Wiąże się to z niesieniem odpowiedzialności za rezultat leczenia. Stanowi to również obciążenie fizyczne. Podczas wykonywania samej tylko terapii manualnej trzeba „przerzucić" co najmniej jedną tonę dziennie, czego nie zrobią raczej ci, którzy do nas przychodzą.

Człowiek żyje nie tylko na poziomie ciała fizycznego, ale również na poziomie duszy i energii, którą powinien być przez cały czas naładowany do pełna. Podczas choroby energia – podobnie jak w akumulatorze – ulega zużyciu. Pojawiają się przerwy w otoczce energetycznej (biopolu). Oto dlaczego różnego rodzaju ludowi uzdrowiciele starają się (niestety nie zawsze fachowo) „naładować" człowieka. Wielu z nich udaje się to i wszelkie lekarstwa oraz sposoby jakby „rozpalają" osłabione mechanizmy odżywiania komórek i zaczynają one prawidłowo działać, wydzielać energię, przywracając potencjał układu energoinformacyjnego, który doprowadza do normy wszystkie procesy życiowe. Należy jednak pamiętać, że gdyby w tym stanie rzeczy usunąć jedynie tlen atomowy, to nic nie będzie w stanie podźwignąć chorego z łoża boleści i nikt nie napompuje go energią.

Układ energoinformacyjny otrzymuje 50% energii od Wszechświata (energia stwarzania). Jest to energia falowa o częstotliwości żywego organizmu. Pozostałe 50% energii powstaje w procesie podziału komórek. Owo 100% energii układu energoinformacyjnego zarządza wszystkimi procesami w organizmie. Jest to wielka mądrość Przyrody.

I.P. Nieumywakin z przyjacielem, dwukrotnym bohaterem Związku Radzieckiego, kosmonautą P.R. Popowiczem, 2003 r.

Człowiek otrzymuje 50% energii z zewnątrz, a kolejne 50% musi dostarczyć sobie sam. Jeśli człowiek będzie leniem, to po prostu umrze. Jest to szczególnie istotne w chwili, gdy medycy oświadczają, że to już koniec. W organizmie drzemią pokłady rezerw, w tym tlen atomowy, który w połączeniu z innymi staraniami pomoże Wam uporządkować kwestię zdrowia.

Oczywiście wszystko, co powiedziałem, wymaga jeszcze dodatkowych badań, ale wydaje mi się, że nikt w najbliższej przyszłości nie będzie się nimi niestety zajmował, bo obaliłby tym samym wszystkie panujące dogmaty o przyczynach chorób i, co ważniejsze, sztucznie ugruntowane podejście do leczenia za pomocą lekarstw syntetycznych, które są bezsilne wobec zasiedlającej nasz organizm mikroflory bakteryjnej, która po takim leczeniu staje się jeszcze bardziej zakaźna [i lekooporna].

Jak widać z doświadczenia stosowania nadtlenku wodoru, gromadzonego praktycznie w podziemiu, powstaje więcej pytań niż odpowiedzi. Z tego względu powinny powstać instytucje, które miałyby obowiązek zająć się tym i wprowadzić w życie deklarowaną troskę o człowieka.

Medycyna ludowa proponuje wiele metod i środków pochodzenia naturalnego, które z wystarczającą dozą pewności leczą to, co wymyka się spod władzy medycyny oficjalnej. Czas, by zjednoczyć wysiłki i uznać medycynę ludową za jeden z rodzajów działalności medycznej. Ogólnorosyjskie Stowarzyszenie Specjalistów Medycyny Ludowej, Tradycyjnej oraz Uzdrowicieli przygotowało projekt, który od kilku lat rozpatrywany jest przez Rosyjski Parlament bez żadnych rezultatów. Na przykład moje doświadczenie jako uzdrowiciela ludowego jest świadectwem tego, że można przy pomocy nadtlenku wodoru, w połączeniu z naświetlaniem krwi UV, leczyć tysiące

I.P. Nieumywakin z kolegą, dwukrotnym bohaterem Związku Radzieckiego, W. Poliakowem, który przebywał w kosmosie w sumie około 680 dni, 2003 r.

I.P. Nieumywakin z dawnymi współpracownikami i podopiecznymi, którzy wypróbowywali systemy podtrzymywania życia w statkach kosmicznych (od prawej): L. Sidorienko i Bohaterami Rosji S. Niefiedowym i E. Kiriuszynem, 2003 r.

ludzi bez jakichkolwiek nakładów finansowych, niezależnie od rodzaju choroby, o czym dowiedzieliście się już z niniejszej książki.

Przypominam, że oprócz przeznaczonego dla gabinetów lekarskich przyrządu „Helios-1", stworzyliśmy przyrząd służący do leczenia zwierząt praktycznie bez jakichkolwiek lekarstw, „Helios-2", a także podnoszący nawet dwukrotnie plony z wszelkich upraw, wykluczający konieczność nawożenia lub zmniejszający ją do minimum zestaw do zastosowania w gospodarstwach rolnych. Stosując to urządzenie, można w ciągu 3–5 lat przywrócić (rekultywować) naturalny sposób uprawiania roli.

Tak właśnie powstaje skuteczny system ekologiczno-prozdrowotny na wszystkich poziomach: ludzkim, zwierzęcym, roślinnym, oraz na poziomie gleby, czego stosowne instytucje są świadome. Tylko że okazuje się, że chociaż te wynalazki mają ponad 25-30 lat, nie widzi się potrzeby, by je wdrażać, ponieważ „zabrałyby chleb" wielu placówkom naukowo-badawczym i wyspecjalizowanym fabrykom. Przeżywszy wiele lat, doszedłem do paradoksalnego wniosku, że w Rosji zdrowy człowiek nikomu nie jest potrzebny.

O nadtlenku wodoru powiem, co następuje: nie ma sensu kreować go na jakieś cudowne panaceum. Jak już rozumiecie, podczas każdej choroby zwiększa się w organizmie zużycie nadtlenku wodoru i w rezultacie powstaje jego deficyt. W związku z tym patogenna flora ma możliwość wzmocnić swe oddziaływanie. Jedne choroby się nasilają, a inne, nowe – pojawiają. Organizm bezwarunkowo wymaga wówczas pomocy, bez której nie jest w stanie się obejść. Nadtlenek wodoru jest właśnie jednym z najefektywniejszych sposobów pomocy. Określiłbym nadtlenek wodoru jako swego rodzaju wszechstronny środek wspomagający leczenie każdej dolegliwości.

Wielu pacjentów – szczególnie czytelników „ZSŻ" (a jest ich ponad 3 miliony) – żąda, by lekarze aplikowali im nadtlenek wodoru dożylnie, powołując się przy tym na mój autorytet. Lekarze wówczas nie tylko godzą się na ten zabieg, ale czynią go podstawą leczenia stosowanego w wielu chorobach. Metoda przyjmuje się nie „z góry", ale „z dołu", podobnie jak powstała oficjalna medycyna – ze źródeł medycyny ludowej.

By ułatwić lekarzom życie, donoszę, że Iżewska Państwowa Akademia Medyczna, reprezentowana przez Republikańskie Centrum Aktywnej Immunokorekcji Chirurgicznej, opublikowała jako list otwarty doniesienie „Zastosowanie wewnątrznaczyniowego wprowadzania małych stężeń roztworu nadtlenku wodoru w praktyce klinicznej" (Iżewsk, 2002). Pracownicy owego Centrum szeroko stosują nadtlenek w praktyce leczniczej, o czym wiecie już z wywiadu z profesorem W. Sytnikowem.

Jak widzicie lody topnieją i Ministerstwo Zdrowia nie zdoła już, jak sądzę, powstrzymać szerszego zastosowania nadtlenku wodoru w praktyce klinicznej. Przeciwnie, jego kierownictwo powinno ze wszystkich sił sprzyjać temu, by faktycznie dbano o zdrowie obywateli Rosji. Cóż – pożyjemy, zobaczymy. Z natury jestem optymistą.

Przypuszczam, że w miarę wykorzystania nadtlenku wodoru w praktyce medycznej będziemy odkrywać nowe, kolejne właściwości tego preparatu.

Kończąc książkę, chcę zacytować strofy, które znalazłem w swym archiwum:

O śmierci wcale mówić nie warto*,
Warto miast tego po prostu żyć,
I przed oczami mieć obraz tego,
Co tylko cenne i o tym śnić.

Nie trzeba też o nic obwiniać ludzi,
W ich sprawach brzmi ich własny ton,
Inne nawyki, cele i przyjaźnie:
W duszy każdego gra inny dzwon.

Choć każdy obcy jest na swój sposób dziwny,
To przecież z ludźmi Cię związał los,
Niech zatem zawsze czują się przy Tobie
Swobodnie i pewnie, niczym w słońcu kłos.

Każdy jest mądry, więc usiądź i słysz
I nie popędzaj swoich pięknych dni.
Nie każ duszy gnać czasu, lecz zwolnij i żyj.
Dostrzeż to, co dojrzewa w myślach wielu z nich.

I żyj, podziwiając jasny błękit nieba,
Oddychaj pełną piersią, powoli jak ptak,
Co rozpostarł skrzydła, by wznieść się w przestworza
Przed daleką podróżą gdzieś w daleki świat.

I. Kuzawina

* Opracowanie po polsku: Semen.

SPIS TREŚCI

Książka zawiera przedstawiony krok po kroku, sprawdzony w praktyce program dehelmintyzacji, wiele informacji o funkcjonowaniu i budowie ciała człowieka oraz roli poszczególnych mikro- i makroelementów w zachowywaniu zdrowia. Nie zabrakło również wiedzy o najczęstszych sposobach zarażenia pasożytami oraz o cyklach życiowych tych nieproszonych gości.

Pozycja zawiera praktyczne rady dotyczące odżywiania, włącznie z przepisami kulinarnymi, a także szczegółowy, wzbogacony rysunkami opis oczyszczającej gimnastyki oddechowej według A.N. Strielnikowej. Daje to obraz wartościowej pozycji w biblioteczce każdego, kto pragnie na co dzień dbać o swoje zdrowie i dobre samopoczucie.

O AUTORCE

Nadieżda Siemionowa to znana w Rosji i na świecie specjalistka zajmująca się naturalnymi metodami leczenia. Od wielu lat prowadzi w Soczi, nad Morzem Czarnym, Szkołę Zdrowia, którą nazwała swoim imieniem „Nadieżda" (czyli „Nadzieja").

Autorka opracowała bardzo skuteczny program pozbywania się pasożytów, a przez to również dolegliwości i chorób powodowanych ich inwazjami – wszystko to przy użyciu wyłącznie naturalnych, sprawdzonych od stuleci produktów o działaniu przeciwpasożytniczym. Program wywołał ogromne zainteresowanie. Do dzisiaj w każdym turnusie Szkoły Zdrowia uczestniczy komplet kuracjuszy.

Niniejszą książkę Nadieżda Siemionowa napisała, by pomóc schorowanym osobom, które z różnych przyczyn nie mogą przyjechać do Szkoły, a chcą przeprowadzić jej program oczyszczania organizmu we własnym zakresie. Po zastosowaniu rad w niej zawartych każdy może w znaczący sposób poprawić stan swojego zdrowia.

W książce zawarto w sumie 11 wariantów oczyszczania organizmu – od prostych do skomplikowanych, zależnie od stanu zdrowia, wieku i przeciwwskazań dotyczących danego pacjenta. Jest nawet specjalna metoda dla osób bardzo osłabionych przewlekłą chorobą oraz inna – przeznaczona dla cierpiących na brak wolnego czasu, zabieganych ludzi, którzy chcą zadbać o zdrowie bez zmian w tygodniowym rozkładzie zajęć.

Olga Jelisiejewa zwraca uwagę, że od tego, co i jak jemy, zależy nasze zdrowie. Przybliża nam działanie układu pokarmowego – począwszy od jamy ustnej, skończywszy na jelicie prostym. Pokazuje również powiązania między narządami człowieka, które pełnią wiele funkcji na raz. Uczy, jak dbać o organizm, by cieszyć się dobrym zdrowiem i jak najprościej wprowadzić stosowne zmiany w trybie życia.

O AUTORCE

Olga Iwanowna Jelisiejewa to wykładowca Międzynarodowej Akademii Integracji Nauki i Biznesu z ponad 35--letnią praktyką medyczną (doktor nauk medycznych), znana specjalistka w zakresie testowania wegetatywno-rezonansowego. Autorka licznych książek z zakresu zdrowia i oczyszczania, w których wiele miejsca poświęca diagnostyce elektronicznej metodą Volla. Leczą się u niej pacjenci z całego świata.

W 1963 roku z wyróżnieniem ukończyła uczelnię Medyczną imienia I.P. Pawłowa. Wiele lat przepracowała w szpitalach. Zrobiła kilka specjalizacji, m.in. w okulistyce i rentgenologii (była kierownikiem oddziału rentgenologicznego w szpitalu w Moskwie).

Równolegle zgłębiła irydologię, akupunkturę, leczenie przy pomocy nakłuwania ucha, homeopatię i fitoterapię. Obecnie stoi na czele Centrum Zdrowia, przy którym działa oddział oczyszczania organizmu stosujący wymienione w niniejszej książce metody (z których wiele opatentowała). Czy stanie się w Polsce równie znaną osobą jak Małachow, Tombak i Siemionowa? Czas pokaże.

TRANSERFING RZECZYWISTOŚCI

Vadim Zeland

„Transerfing rzeczywistości" to **kultowa seria książek Vadima Zelanda**, która znalazła się **w pierwszej dziesiątce listy bestsellerów Rosji**, opublikowanej w 2007 roku. Każda kolejna część to „stopień" wtajemniczający czytelników w zaskakujące spojrzenie na świat. Pierwsze trzy części noszą intrygujące tytuły: Stopień I – „Przestrzeń wariantów", Stopień II – „Szelest porannych gwiazd", Stopień III – „Naprzód w przeszłość".

„Transerfing rzeczywistości" **ukazał się już** (oprócz wydania rosyjskiego) **w wielu językach**, m.in. w **niemieckim, bułgarskim, słowackim, czeskim, litewskim i japońskim**. Trwają prace nad wydaniem **chińskim, chorwackim, słoweńskim i angielskim**, które ukaże się równocześnie z wydaniem **polskim**.

Z jednej strony seria dotyka rzeczy, pojęć i sytuacji, z którymi stykamy się wszyscy, z drugiej – okazała się czymś zu-

TRANSERFING W SKRÓCIE

Transerfing dotyczy rzeczy bardzo dziwnych i niezwykłych. Wszystko to na tyle szokuje, że aż nie chce się wierzyć. Lecz wiara nie będzie Ci potrzebna – wszystkiego doświadczysz sam. Bądź tylko gotowy na to, że po przeczytaniu książki runie Twój dotychczasowy sposób postrzegania świata.

Transerfing to potężna technika, dająca Ci władzę robienia tego, co powszechnie uważa się za niemożliwe, a mianowicie – **zarządzania swym losem według własnego uznania**. Nie ma mowy o jakichś cudach. Oczekuje Cię coś więcej. Przekonasz się, że nieznana rzeczywistość, którą odkryje przed Tobą Autor, jest o wiele bardziej zadziwiająca niż jakakolwiek mistyka. **Transerfing to sposób na wybieranie swojego losu literalnie, tak jak wybierasz towar w supermarkecie.**

Doznasz nieopisanych uczuć, kiedy odkryjesz w sobie zdolności, których istnienia nawet nie podejrzewałeś. Jest to podobne do wrażenia swobodnego spadania – to, co niewiarygodne w tak oszałamiająco zuchwały sposób zamienia się w rzeczywistość, że wprost zapiera dech w piersiach.

pełnie nowym, nieznanym dotąd czytelnikom. Książki zrobiły furorę, fora internetowe pękają w szwach, zaistniała nawet „Szkoła Transerfingu". Jak grzyby po deszczu powstają kolejne witryny nawiązujące do zawartej w książkach koncepcji postrzegania świata i sposobów... No właśnie... Sposobów na co? Czym należy tłumaczyć taką popularność tematu? I czym właściwie jest transerfing?

Istnieje wiele książek, które uczą, jak osiągnąć sukces, wzbogacić się, być szczęśliwym. Któż tego nie pragnie? Jednak kiedy otwierasz taką książkę, odkrywasz, że zawiera ćwiczenia, medytacje, sposoby pracy nad sobą... Ich autorzy zapewniają Cię, że jesteś niedoskonały, i dlatego musisz się zmienić, a inaczej nie masz nawet na co liczyć. Jeśli myślisz, że Transerfing to kolejny tego typu poradnik, grubo się mylisz.

Nie będziemy zajmować się ćwiczeniami, medytacjami i przezwyciężaniem siebie. Transerfing nie jest nową metodą samodoskonalenia, lecz odmiennym sposobem myślenia i działania tak, by otrzymywać to, czego pragniesz. Nie dążyć, tylko właśnie „otrzymywać".

Koncepcja losu w Transerfingu bazuje na całkiem nowym modelu świata. Transerfing uczy, jak wykorzystać różnorodność i wielopłaszczyznowość przejawów rzeczywistości, by pracowały dla naszego dobra. Pokazuje, jak i kiedy dokonywać wyborów. Uczy, jak rozpoznawać te najlepsze.

Rzeczywistość przejawia się w całej różnorodności właśnie dlatego, że liczba jej wariantów jest nieskończona. Każdy punkt wyjścia przechodzi w łańcuch związków przyczynowo-skutkowych. Obrawszy punkt wyjścia, otrzymujesz jakąś formę rzeczywistości.

Ileż to razy zastanawiałeś się: „Co by było, gdyby...?". Tyle że zwykle następowało to po zaistnieniu faktu, który tylko wspominałeś. Transerfing nie mówi o tym, by rozważać namiętnie kwestie typu: „Co będzie, jeśli...". Po prostu uczy, jak znajdować na nie właściwą odpowiedź od razu i jak podejmować decyzje, które zapewnią Ci powodzenie.

Można powiedzieć, że rzeczywistość rozwija się wzdłuż lini życia w zależności od wybranego punktu wyjścia. Każdy otrzymuje to, co wybiera.

Jednak na sam punkt wyjścia nie zwraca się uwagi, dosłownie jakby nie zawierał w sobie żadnej informacji. Niemniej taka informacja istnieje i jest nad wyraz zadziwiająca. Jak opisuje podstawę Transerfingu sam Zeland? Oto cytat z książki:

„Wyobraź sobie, że pewnego razu obejrzałeś spektakl teatralny. Nazajutrz znowu udałeś się do teatru na ten sam spektakl, ale wystawiany już w innej scenografii. Są to położone niedaleko od siebie linie życia. W kolejnym sezonie teatralnym znów obejrzałeś spektakl z tymi samymi aktorami, ale już według znacznie zmienionego scenariusza. Ta linia życia jest położona nieco dalej. I w końcu, obejrzawszy tę samą inscenizację w innym teatrze, zobaczyłeś całkiem inną interpretację sztuki. Ta linia życia jest już znacznie oddalona od pierwszej.

Można powiedzieć, że rzeczywistość rozwija się wzdłuż lini życia w zależności od wybranego punktu wyjścia. Każdy otrzymuje to, co wybiera.

Masz prawo wyboru właśnie dlatego, że nieskończona ilość wariantów już istnieje. Możesz wybrać sobie los, jaki Ci się podoba. Całe kierowanie losem sprowadza się do jednej prostej rzeczy–**dokonania właściwego wyboru**. Transerfing odpowiada na pytanie, jak to zrobić".

Iwan Nieumywakin, Ludmiła Stiepanowna-Nieumywakina

ENDOEKOLOGIA ZDROWIA

Już wkrótce najlepsza książka profesora Iwana Nieumywakina, którą napisał wspólnie z żoną Ludmiłą, ukaże się w Polsce.

Krótko o treści książki

Książka Nieumywakinów zawiera w sobie wszystko to, co człowiek powinien wiedzieć o swoim organizmie, fizjologii, patologiach i sposobach ich leczenia. Szczególna jej wartość polega na tym, że podano w niej proste zalecenia, jak przy pomocy tego, co mamy na stole, w ogrodzie, dodając odrobinę własnego wysiłku, pozbyć się już istniejących schorzeń i zapobiec pojawieniu się ewentualnych w przyszłości.

Tematy poruszone w książce: • Czym jest endoekologia? • Dlaczego ludzie chorują i umierają? • Bioenergetyczna struktura człowieka. • Czym są czakry? • Strefy geopatyczne (m.in. cieki wodne) i ich wpływ na zdrowie. • Wpływ odżywiania na zdrowie. • Rola wody • Prawidłowe oddychanie.

Rola czystości wewnętrznej

Zdaniem autorów, mimo że medycyna oficjalna wciąż mówi o zanieczyszczeniu otaczającego nas środowiska (woda, powietrze, pokarm), to zupełnie nie zwraca uwagi na stan endoekologiczny organizmu, na jego czystość wewnętrzną. Jej brak jest przyczyną pierwotną każdego schorzenia. Dlatego Nieumywakinowie podkreślają, że podstawowym kierunkiem leczenia każdego zachorowania, niezależnie od jego charakteru, powinno być oczyszczanie endoekologicznego środowiska organizmu.

Okazuje się, że w większości wypadków można uniknąć sztucznej interwencji środkami farmakologicznymi (lekami) lub stosowania innych metod leczenia, ponieważ człowiek, jako samoregulujący się system, potrafi sam w sobie zaprowadzić porządek. Wystarczy mu tylko nie przeszkadzać.

Lecznictwo ludowe w Rosji

Lecznictwo ludowe, z dawien dawna rozwinięte w Rosji, zgromadziło olbrzymie doświadczenie, z którego do niedawna nie robiono użytku, a znachorów prześladowano jak przestępców. Dopiero przez ostatnie 15–20 lat ludzie, którym medycyna oficjalna pomóc już nie mogła, zaczęli coraz bardziej interesować się sposobami i metodami opartymi na wykorzystaniu własnych rezerwowych możliwości i środków naturalnych. I chociaż oficjalna medycyna, która sama narodziła się z medycyny naturalnej jakieś 150–200 lat temu, robi co może, aby zdyskredytować ten kierunek, to robić to jest jej coraz trudniej, ponieważ przyłącza się do niego coraz więcej lekarzy, w praktyce przekonujących się o własnej bezsilności.

Więcej o autorach

Nieumywakinowie są jednymi z nielicznych przedstawicieli medycyny oficjalnej, którzy nie bagatelizują osiągnięć medycyny ludowej. Uważają, że przyszłość medycyny należy do połączenia medycyny oficjalnej z lecznictwem ludowym. Małżeństwo poświęciło mu ponad 50 lat praktyki lekarskiej. Ostatnio zostali uznani za „najlepszych uzdrowicieli ludowych Rosji"

Obecnie Iwan Nieumywakin jest członkiem prezydium Stowarzyszenia Medycznego Specjalistów Tradycyjnej Medycyny Ludowej i Uzdrowicieli.

O.B. Korycki, A.B. Smelianiec

PRAWIE WSZYSTKO O METODZIE R. VOLLA

Planowany czas wydania: pierwsza połowa 2009 roku.

Pierwsza w Polsce książka o metodach diagnostyki metodą elektroakupunktury Volla i Vega-test, napisana przez lekarzy-specjalistów, wykorzystujących ją w praktyce od kilkunastu lat.

Niezbędnik zarówno dla tych, którzy chcą opanować ten rodzaj diagnostyki, jak i osób, które już ją stosują (np. praktyków metody Volla, właścicieli gabinetów medycyny naturalnej itp.). Cenny nabytek również dla tych, którzy pragną sami przejąć kontrolę nad swoim zdrowiem i na bieżąco śledzić postępy w leczeniu.

Dr Reinhold Voll opracował metodę elektronicznej diagnostyki stanu organów wewnętrznych człowieka. Bazuje ona na mierzeniu – za pomocą niezmiernie czułych urządzeń – przewodności prądu w punktach skóry odpowiadających poszczególnym organom.

Metoda elektroakupunktury dr Volla (EAV) oraz Vegatest jest obecnie stosowana w 34 krajach. Międzynarodowe Towarzystwo Elektroakupunktury metodą Volla zrzesza obecnie ponad 30 000 lekarzy różnych specjalizacji, którzy wciąż ją rozwijają i udoskonalają.

Ich doświadczenie wskazuje, że prawidłowo wykonane badanie metodą Volla jest na stan obecny jednym z najbardziej wiarygodnych narzędzi diagnostycznych dla lekarzy. Pozwala oszczędzić mnóstwo czasu. Dzięki jej wykorzystaniu, lekarz nie leczy „na ślepo", jak ma to miejsce w wielu przypadkach ocenianych jedynie po objawach. Pacjent nie musi chodzić po laboratoriach i tracić czasu oraz pieniądzy, chyba że lekarz uzna, że potrzebne jest dodatkowe, „krzyżowe" potwierdzenie diagnozy przy użyciu innej metody diagnostycznej.

Metoda pozwala dokładnie określić stan funkcjonowania organizmu i określić źródło, przyczynę choroby, poprzez stwierdzenie obciążeń bakteryjnych, wirusowych, pasożytniczych itp. Jest nieinwazyjna i nie wymaga pobierania krwi. Diagnozowanie odbywa się bez naruszania powłoki skórnej pacjenta. Nie ma potrzeby naświetlania go promieniami Rentgena ani zmuszania do połykania sondy. Co więcej, pozwala wykryć choroby (predyspozycje) na długo przed wystąpieniem objawów (symptomów).

Z pomocą metody Volla, każdy, po nauczeniu się jej i dysponując odpowiednim sprzętem, jest w stanie sam wykrywać przyczyny chorób) i dobierać leczenie indywidualnie do własnego organizmu.

Metoda Volla i Vegatest jest wykorzystywana przez lekarzy, alergologów, stomatologów, kosmetologów, dietetyków, sprzedawców suplementów diety i pacjentów.

Jewgienij Lebiediew

Wylecz się z raka!

Schematy leczenia guzów nowotworowych układu pokarmowego, płuc, mózgu, wątroby, krtani, piersi oraz układu płciowego kobiet i mężczyzn.

Jewgienij Lebiediew to naturopata, który sam wyleczył się naturalnymi metodami z nowotworu przewodu pokarmowego z przerzutami. Jego artykuły ukazują się teraz w czasopismach poświęconych medycynie naturalnej. Jest autorem kilku książek o samodzielnym leczeniu raka i innych chorób.

Niniejsza książka jest napisana dla zwykłych ludzi, którzy chcą sami wyleczyć się z raka. To również źródło wiedzy dla naturopatów. Zawarto w niej konkretne schematy leczenia i porady, oraz wytłumaczono szereg procesów zachodzących podczas terapii. Obalono wiele zakorzenionych mitów, na przykład ten, iż rak jest niewyleczalny.

Obecnie wielu „zaleczonych" chorych na raka pozostawia się samym sobie. Nigdy nie wiedzą, kiedy będą mieli nawrót choroby. Część z nich żyje w strachu, który wcale nie sprzyja powrotowi do zdrowia. Ludzie chorzy na raka nie mają gdzie zdobyć wiedzy o swojej chorobie, poza tym, co już słyszeli – „konieczna jest chemio- i radioterapia". A jak się zacząć żywić? Jak oczyścić organizm z toksyn po chemioterapii? Dlaczego konieczne jest oczyszczanie jelit i wątroby i jak to zrobić?

Nie bez znaczenia jest fakt, iż Lebiediew również wspomina o pasożytniczej przyczynie raka (z każdego chorego, który stosował jego metody, w wyniku leczenia nawet po roku wychodziły pasożyty).

Niniejsza książka już pomogła uratować życie tysiącom ludzi. Autor ma nadzieję, iż z tymi metodami zapoznają się również lekarze, i że zaczną je włączać do leczenia chorych na nowotwory (co już się zdarza na Ukrainie i w Rosji).

Polskie wydanie planowane jest w drugiej połowie 2009 roku.

Reklama